Cam, 03/10/2013

Bia, que este livro lhe sirva como mais um ensaio no fascinante mundo da literatura.

De sua avó

Leni

Um Gato de rua chamado BOB

Um Gato de rua chamado BOB

A história da amizade entre um homem e seu gato

James Bowen

Tradução

Ronaldo Luís da Silva

Editora Novo Conceito

2ª Impressão — 2013

Produção Editorial:
Equipe Novo Conceito
Imagem de Capa: Hayley Chamberlain
Impressão e Acabamento RR Donnelley 280613

Este livro segue as regras da Nova Ortografia da Língua Portuguesa.

Dados Internacionais de Catalogação na Publicação (CIP)
(Câmara Brasileira do Livro, SP, Brasil)

Bowen, James
Um gato de rua chamado Bob / James Bowen ; tradução Ronaldo Luís da Silva. -- 1. ed. -- Ribeirão Preto, SP : Novo Conceito Editora, 2013.

Título original: A street cat named Bob.
ISBN 978-85-8163-152-3

1. Autoajuda 2. Bowen, James, 1979 - 3. Cura 4. Gatos 5. Memórias autobiográficas 6. Relacionamentos humanos-animais I. Título.

13-03240 CDD-636.70929

Índices para catálogo sistemático:
1. Gatos : Relacionamentos humanos-animais :
Biografia 636.70929

Editora Novo Conceito

Rua Dr. Hugo Fortes, 1.885 — Parque Industrial Lagoinha
14095-260 — Ribeirão Preto — SP
www.editoranovoconceito.com.br

Para Bryn Fox...
e para todos aqueles que
já perderam um amigo.

Conteúdo

Capítulo 1

Companheiros de Viagem

Há uma citação famosa que li em algum lugar. Ela diz que recebemos segundas chances a cada dia de nossas vidas. Elas estão ali para serem agarradas, só que não costumamos agarrá-las.

Passei grande parte da vida provando essa citação. Deram-me um monte de oportunidades, às vezes a cada dia. Por um longo tempo, falhei em não agarrar nenhuma delas, mas depois, no início da primavera de 2007, isso finalmente começou a mudar. Foi quando fiz amizade com Bob. Olhando para trás, algo me diz que aquela pode ter sido a segunda chance dele também.

A primeira vez que o encontrei foi em uma sombria noite de quinta-feira, em março. Londres ainda não havia se livrado do inverno e ainda havia um frio cortante nas ruas, especialmente quando os ventos sopravam do Tâmisa. Havia até mesmo um indício de geada no ar naquela noite, razão pela qual retornei para minha nova moradia subvencionada em Tottenham, no norte de Londres, um pouco mais cedo do que o habitual, depois de um dia fazendo apresentações de rua na região de Covent Garden.

Como sempre, trazia meu estojo de guitarra preto e a mochila pendurados nos ombros, mas naquela noite também tinha comigo minha amiga mais próxima, Belle. Nós havíamos saído juntos anos atrás, mas, agora, éramos apenas colegas. Pretendíamos comer alguma comida pronta e barata com curry e assistir a um filme na pequena televisão em preto e branco que eu conseguira encontrar em uma loja de caridade virando a esquina.

Como de costume, o elevador do prédio não estava funcionando. Por isso, dirigimo-nos para o primeiro lance de escadas, resignados em encarar a longa subida até o quinto andar.

A lâmpada fluorescente no corredor estava queimada e parte do térreo estava imersa na escuridão, mas, enquanto caminhávamos para a escada, não pude deixar de notar um par de olhos brilhantes nas sombras. Quando ouvi um miado suave e ligeiramente melancólico, percebi o que era.

Chegando mais perto, à meia-luz, vi um gato laranja enrolado sobre o capacho de um dos apartamentos do andar térreo, no corredor que partia do corredor principal. Cresci em meio a gatos e sempre tive certa queda por eles. Ao me mover até ele para olhá-lo melhor, constatei que se tratava de um macho.

Eu não o havia visto antes perto dos apartamentos, mas, mesmo na escuridão, pude notar que havia algo de especial nele. Eu já era capaz de afirmar que ele tinha certa personalidade. Ele não estava nem um pouco nervoso; na verdade, era exatamente o oposto. Havia nele uma confiança calma e imperturbável. Parecia estar muito bem acomodado ali nas sombras e, a julgar pela forma como me fitava com um olhar firme, curioso e inteligente, era eu quem estava entrando em seu território. Era como se ele estivesse me dizendo: "Então, quem é você e o que o traz aqui?".

Não pude resistir a me ajoelhar e me apresentar.

— Oi, companheiro. Eu nunca o vi antes, você mora aqui? — disse.

Ele apenas olhou para mim com a mesma expressão compenetrada e um pouco distante, como se ainda estivesse me avaliando.

Decidi acariciar seu pescoço, em parte para ser amigável, mas também, em parte, para ver se ele usava uma coleira ou qualquer forma de identificação. Era difícil ter certeza no escuro, mas percebi que não havia nada, o que imediatamente me sugeriu que ele fosse um gato de rua. Londres tinha mais do que sua justa cota deles.

Ele pareceu estar gostando do carinho e começou a se esfregar levemente contra mim. Enquanto eu o acariciava um pouco mais, pude perceber que sua pelagem estava em mau estado, com trechos irregulares sem pelos aqui e ali. Claramente, estava necessitando de uma boa refeição. E, pela maneira como se esfregava contra mim, também precisava de uma boa dose de amor.

— Pobrezinho, acho que é um vira-lata. Ele não tem coleira e está muito magro — disse, olhando para Belle, que me esperava pacientemente ao pé da escada.

Ela sabia que eu tinha um fraco por gatos.

— Não, James, você não pode ficar com ele — disse ela, apontando para a porta do apartamento em frente à qual o gato estava sentado. — Ele não pode ter simplesmente aparecido aqui e se acomodado nesse local. Deve pertencer a quem vive aí. Provavelmente está esperando que a pessoa volte para casa e o deixe entrar.

Relutantemente, concordei com ela. Eu não podia simplesmente pegar um gato e levá-lo para casa comigo, mesmo que todos os sinais indicassem que ele realmente não tinha um lar. Eu mal havia me mudado para aquele lugar e ainda estava tentando arrumar meu apartamento. E se ele pertencesse à pessoa que vivia naquele apartamento? Ela não encararia lá muito bem que alguém levasse embora seu animal de estimação, não é?

Além disso, a última coisa de que eu precisava agora era da responsabilidade extra de um gato. Eu era um músico fracassado e um viciado em drogas em recuperação, vivendo uma existência precária em uma moradia subvencionada. Assumir a responsabilidade por minha própria vida já era algo bastante difícil.

Na manhã seguinte, sexta-feira, fui até o térreo e encontrei o laranjinha ainda sentado no mesmo lugar. Era como se ele não houvesse se movido daquele lugar nas últimas 12 horas ou mais.

Mais uma vez, caí de joelhos e o acariciei. Mais uma vez, ficou óbvio que ele adorava aquilo. Ele ronronava, apreciando a atenção que estava recebendo. Ainda não havia aprendido a confiar completamente em mim. Mas pude perceber que ele simpatizava comigo.

À luz do dia, pude ver que se tratava de uma criatura maravilhosa. Ele tinha uma expressão realmente impressionante, com olhos penetrantes e incrivelmente verdes, embora, olhando mais de perto, fosse possível afirmar que ele estivera em uma briga ou em um acidente, porque havia arranhões na face e nas pernas. Tal como eu havia imaginado na noite anterior, a pelagem estava em péssimo estado. Estava muito rareada e encrespada, com pelo menos meia dúzia de regiões calvas, onde era possível ver a pele. Eu já estava me sentindo realmente preocupado com ele, mas, novamente, disse a mim mesmo que já tinha mais do que o suficiente com que me preocupar na simples tarefa de me manter na linha. Assim, relutantemente, saí para pegar o ônibus de Tottenham ao centro de Londres e Covent Garden, onde eu tentaria, uma vez mais, ganhar dinheiro com apresentações de rua.

Quando voltei naquela noite, já era muito tarde, quase 22 horas. Imediatamente, dirigi-me para o corredor onde vira o laranjinha, mas não havia sinal dele. Parte de mim ficou decepcionada. Eu meio que já gostava dele. Mas, principalmente, senti-me aliviado. Achei que seu proprietário deveria ter permitido que ele entrasse ao voltar de onde quer que tenha estado.

Meu coração se afundou um pouco quando desci no dia seguinte e vi que o gato havia voltado àquela mesma posição. Agora, ele estava um pouco mais fragilizado e desgrenhado do que antes. Parecia estar com frio e fome e tremia um pouco.

— Ainda aqui, então — disse, acariciando-o. — Não parece tão bem hoje.

Decidi que aquela situação havia perdurado o bastante. Então, bati na porta do apartamento. Senti que precisava dizer alguma coisa. Aquilo não era jeito de tratar um animal de estimação. Ele precisava de algo para comer e beber — e talvez até mesmo de cuidados médicos.

Um cara apareceu à porta. Estava com a barba por fazer, vestindo camiseta e um par de calças esportivas, e parecia ter acabado de acordar, ainda que já estivéssemos no meio da tarde.

— Desculpe incomodá-lo, companheiro. Este gato é seu? — perguntei a ele.

Por um segundo, ele me fitou como se eu fosse um pouco louco.

— Que gato? — questionou, antes de olhar para baixo e ver o laranjinha enrolado como uma bola no capacho. — Ah. Não — disse ele, ao mesmo tempo que encolheu os ombros, desinteressado. — Ele não tem nada a ver comigo, companheiro.

— Ele está aqui há dias — retruquei, novamente provocando um olhar vago nele.

— Está? Deve ter sentido cheiro de comida ou algo assim. Bom, como eu disse, ele não tem nada a ver comigo.

E então bateu a porta, fechando-a.

Decidi-me imediatamente.

— Ok, companheiro, você vem comigo — disse, caçando em minha mochila a caixa de biscoitos que carregava especificamente para dar guloseimas aos gatos e cães que sempre se aproximavam de mim quando estava fazendo apresentações de rua.

Chacoalhei-a diante dele e ele imediatamente se pôs de pé nas quatro patas e me seguiu.

Notei que ele ficou um pouco desconfortável em pé e que movimentava uma das patas traseiras de forma estranha. Por isso, subimos bem lentamente os cinco lances de escadas. Poucos minutos depois, estávamos confortavelmente abrigados em meu apartamento.

O lugar estava estropiado, preciso admitir. Além da televisão, tudo que eu tinha era um sofá-cama de segunda mão, um colchão no canto do pequeno quarto e, na cozinha, uma geladeira que trabalhava apenas na metade do tempo, um micro-ondas, uma chaleira e uma torradeira. Não havia fogão. As únicas outras coisas no apartamento eram meus livros, vídeos e bugigangas.

Sou meio acumulador de tralhas; pego todo tipo de coisas da rua. Naquela época, tinha um parquímetro quebrado em um canto e um manequim quebrado com um chapéu de vaqueiro em outro. Um amigo certa vez chamou meu apartamento de "A Velha Loja de Curiosidades". Mas, enquanto investigava o novo ambiente, a única coisa pela qual o laranjinha ficou curioso foi a cozinha.

Peguei um pouco de leite da geladeira, derramei em um pires e misturei com um pouco de água. Eu sei que — ao contrário da opinião popular — o leite pode ser algo ruim para gatos porque, na verdade, eles são intolerantes à lactose. Mas ele bebeu tudo em segundos.

Eu tinha um pouco de atum na geladeira, então, misturei-o com alguns biscoitos esmagados e dei isso a ele também. Novamente, ele devorou. *Pobrezinho, deve estar mesmo morrendo de fome*, pensei comigo mesmo.

Após o frio e a escuridão do corredor, o apartamento era um luxo tipo cinco estrelas no que dizia respeito às aspirações do laranjinha. Ele parecia muito feliz por estar ali e, depois de ser alimentado na cozinha, dirigiu-se para a sala de estar e enrolou-se no chão, perto do aquecedor.

Sentei-me e, à medida que o observava com mais cuidado, tive certeza absoluta de que havia algo errado com sua perna. Tal como pensara, quando me sentei no chão a seu lado e comecei a examiná-lo, descobri que ele tinha um grande abscesso na parte de trás da perna traseira direita. A ferida tinha o tamanho de um grande dente canino, o que me deu uma boa ideia de como ele a conseguira. Provavelmente, fora atacado por um cão, ou talvez por uma raposa, que cravara os dentes em sua perna e agarrara-se a ele quando ele tentou fugir. Ele também tinha vários arranhões — um na face, não muito longe do olho, e outros no tronco e nas pernas.

Esterilizei a ferida da melhor forma que pude, dando-lhe um banho na banheira e depois passando um pouco de creme hidratante sem álcool ao redor da ferida e um pouco de vaselina sobre ela. Muitos outros gatos teriam aprontado um caos por serem tratados assim, mas ele foi excelente.

Passou a maior parte do restante do dia enrolado naquele que já era seu local preferido, próximo ao aquecedor. Mas também percorreu o apartamento de tempos em tempos, pulando e arranhando tudo o que encontrava. Havendo, a princípio, ignorado o manequim que estava no canto, passou a achá-lo um brinquedo atraente. Não me importei. Ele poderia fazer o que quisesse com ele.

Eu sabia que os laranjinhas podiam ser muito ativos e que aquele ali tinha um monte de energia acumulada e reprimida. Quando tentei acariciá-lo, ele pulou e começou a me dar patadas. Em dado momento, ficou bastante animado, arranhando-me furiosamente e quase cortando minha mão.

— Ok, companheiro, calma aí — eu disse, tirando-o de cima de mim e colocando-o no chão. Sabia que machos jovens que não haviam sido castrados podiam se tornar extremamente ativos. Meu palpite é que ele ainda estava "inteiro" e no auge da puberdade. Não podia ter certeza, é claro, mas aquilo evidenciou novamente a incômoda sensação de que ele devia ter vindo das ruas, e não de um lar.

Passei a noite assistindo à televisão, com o laranjinha enrolado próximo ao aquecedor, aparentemente contente por estar ali. Ele somente se moveu quando fui para a cama, levantando-se e seguindo--me até o quarto, onde se enrolou numa bola próxima a meus pés, na borda da cama.

Ouvindo seu ronronar suave no escuro, senti-me bem por tê-lo ali. Era uma companhia, eu acho. Não tinha muito disso ultimamente.

No domingo, pela manhã, levantei-me razoavelmente cedo e decidi andar pelas ruas para ver se conseguia encontrar o dono dele. Imaginei que alguém poderia ter fixado algum cartaz de "Gato Perdido". Quase sempre havia um apelo pela devolução de um animal de estimação desaparecido, em fotocópia, colado nos postes, quadros de avisos e até mesmo pontos de ônibus. Parecia haver tantos bichanos perdidos que em alguns momentos eu me perguntava se havia uma gangue de sequestradores de gatos agindo na área.

Só para o caso de encontrar o proprietário rapidamente, levei o gato comigo, prendendo-o a uma guia que havia feito com um cadarço, a fim de mantê-lo seguro. Ele ficou feliz em andar a meu lado enquanto descíamos as escadas rumo ao térreo.

Fora do prédio, o gato começou a puxar a corda como se quisesse ir para um canto. Imaginei que desejasse fazer suas necessidades. Tal como pensei, dirigiu-se para um trecho de vegetação e arbustos adjacentes a um prédio vizinho e desapareceu por um ou dois minutos para atender ao chamado da natureza. Depois disso, voltou até mim e, feliz, para a guia.

Ele deve mesmo confiar em mim, pensei comigo mesmo. Senti imediatamente que precisava retribuir essa confiança e tentar ajudá-lo.

Minha primeira parada foi a senhora que morava do outro lado da rua. Ela era conhecida na região por cuidar de gatos. Alimentava os animais vira-latas da vizinhança e os castrava, se necessário. Quando ela abriu a porta, vi pelo menos cinco gatos vivendo ali. Só Deus sabe quantos mais ela tinha na parte de trás da residência. Parecia que todos os gatos num raio de quilômetros se dirigiam para seu quintal, sabendo que ali era o melhor lugar para conseguir comida. Eu não imaginava como ela conseguia alimentar todos eles.

Ela viu o laranjinha e se encantou com ele de imediato, oferecendo--lhe uma guloseima. Era uma senhora adorável, mas não sabia nada sobre a origem dele. Ela não o havia visto pela região.

— Aposto que veio de algum outro lugar de Londres. Não me surpreenderia saber que ele foi abandonado — afirmou. Disse que manteria os olhos e os ouvidos atentos, caso ouvisse alguma coisa.

Tive a sensação de que ela estava certa sobre ele ser de algum lugar distante de Tottenham.

Só por curiosidade, tirei a guia do gato para ver se ele sabia em que direção seguir. Mas, enquanto caminhávamos pelas ruas, ficou óbvio que ele não sabia onde estava. Parecia completamente perdido. Olhou para mim como se dissesse: "Eu não sei onde estou, quero ficar com você".

Ficamos fora por algumas horas. Em determinado ponto, ele saiu correndo para um arbusto a fim de fazer suas necessidades novamente, enquanto eu continuava perguntando a alguns moradores que passavam se o reconheciam. Tudo que consegui foram olhares em branco e ombros encolhidos.

Era óbvio que ele não queria me deixar. À medida que vagávamos, não podia fazer outra coisa além de me perguntar a respeito de sua história: de que lugar ele vinha e que tipo de vida levava antes de vir sentar-se no capacho no térreo.

Parte de mim estava convencida de que a "senhora dos gatos" do outro lado da rua estava certa — que ele fora o animal de estimação de uma família. Era um gato de boa aparência e provavelmente havia sido comprado como presente de Natal ou aniversário de alguém. Os laranjinhas podem ser um pouco loucos[1] e isso fica pior se não forem castrados, como já havia observado. Podem se tornar muito dominantes, muito mais do que os outros gatos. Meu palpite era que, ao tornar-se agitado e travesso, ele também se tornara um pouco difícil demais de lidar.

Imaginei os pais dizendo "basta" e — em vez de levá-lo para um refúgio ou para a RSPCA[2] — enfiando-o no porta-malas do carro da família, levando-o para um passeio e jogando-o em uma rua ou estrada.

Os gatos têm um grande senso de direção, mas, obviamente, ele fora solto longe do lar e não havia voltado. Ou talvez soubesse que não se tratava realmente de um lar e tivesse decidido encontrar um novo.

Minha outra teoria era que ele pertencera a uma pessoa de idade que havia falecido.

É claro, era possível que não fosse o caso. O fato de ele não estar habituado a uma casa era o principal argumento contra ele ter pertencido a alguém. Mas, quanto mais eu o conhecia, mais me convencia de que ele definitivamente estava acostumado a ficar perto de alguém. Ele parecia agarrar-se a pessoas que, imaginava, cuidariam dele. Foi o que ele fez comigo.

A maior pista sobre seu passado era aquela lesão, que parecia horrível. Ele com certeza a conquistara em uma luta. A julgar pela forma como dela vazava pus, a ferida deveria ter sido feita havia poucos dias, talvez, no máximo, uma semana. O que me sugeriu outra possibilidade.

---

[1] É verdade que gatos não castrados tendem a ser mais territoriais e ativos. Mas não há registro científico indicando que a cor da pelagem de um gato tem alguma influência em seu comportamento. A afirmação do autor de que gatos alaranjados têm personalidade forte deve ser uma opinião pessoal. (N. P.)

[2] Royal Society for the Prevention of Cruelty to Animals, ou Sociedade Real para a Prevenção de Crueldade com Animais. (N. T.)

Londres sempre teve uma grande população de gatos de rua, os quais vagam por aí vivendo de restos de comida e do conforto de estranhos. Quinhentos ou seiscentos anos atrás, lugares como a Rua Gresham, no bairro financeiro, Clerkenwell Green e Alameda Drury costumavam ser conhecidos como "ruas de gato" e eram tomados por eles. Aqueles vira-latas eram os destroços e os refugos da cidade, andando a esmo e lutando pela sobrevivência a cada dia. Muitos deles eram como aquele laranjinha: criaturas espancadas e quebradas.

Talvez ele tivesse visto em mim uma alma semelhante.

Capítulo 2

Estrada para a Recuperação

Estivera rodeado por gatos desde que era criança e acreditava ter um bom conhecimento sobre eles. Enquanto crescia, minha família tivera vários gatos siameses e lembro que, certa vez, tivemos também uma bela gata de pelagem escama de tartaruga. Minhas recordações de todos eles são geralmente afetuosas, mas, inevitavelmente, creio que aquela que permaneceu mais vividamente em minha mente também seja a mais sombria.

Cresci na Inglaterra e na Austrália e, por algum tempo, moramos em um lugar chamado Craigie, na Austrália Ocidental. No período em que vivemos por lá, tivemos um gatinho branco, macio e adorável. Não lembro onde o conseguimos, mas tenho a sensação de que pode ter sido de um fazendeiro local. De onde quer que ele tenha vindo, era um lar terrível. Por alguma razão, ele não fora avaliado por um veterinário antes de ser entregue a nós. Acontece que o pobrezinho estava cheio de pulgas.

Essa condição não foi percebida de imediato. O problema foi que, como o gatinho tinha aquela pelagem branca e grossa, as pulgas o estavam infestando e ninguém sabia. As pulgas são parasitas, é claro. Elas sugam a vida de outras criaturas para sustentar a delas. Elas basicamente drenaram todo o sangue daquele pobre gatinho. No momento em que descobrimos, já era tarde demais. Minha mãe levou-o ao veterinário, mas disseram a ela que, daquele ponto, não havia mais chance de recuperação. Ele tinha todos os tipos de infecções e ainda outros problemas. Morreu duas semanas depois que o havíamos pego. Eu tinha 5 ou 6 anos na época e fiquei arrasado — tal como minha mãe.

Pensei naquele gatinho muitas vezes ao longo dos anos, geralmente ao ver um gato branco. Mas ele esteve particularmente presente em minha mente ao longo do fim de semana, enquanto passava um tempo com o laranjinha. Sabia que sua pelagem estava em mau estado. Realmente estava falhada em diversos lugares. Tive a sensação horrível de que ele sofreria o mesmo destino que o gatinho branco.

Sentado no apartamento com ele naquela noite de domingo, tomei uma decisão: não permitiria que aquilo acontecesse. Não assumiria que os cuidados que já tivera com ele o fariam melhorar. Não presumiria que estava tudo bem.

Precisava levá-lo a um veterinário. Sabia que meu curativo improvisado não seria bom o suficiente para curar a ferida. Mas não fazia ideia de que outros problemas de saúde ele poderia ter. Não queria correr o risco de esperar, por isso decidi me levantar cedo na manhã seguinte e levá-lo para o Centro da RSPCA, na outra extremidade da Estrada Seven Sisters, em direção ao Parque Finsbury.

Ajustei o alarme para bem cedo e me levantei para dar ao gato uma tigela com biscoitos amassados e atum. Era mais uma manhã cinzenta, mas sabia que não poderia usar isso como desculpa.

Dado o estado de sua perna, sabia que ele não suportaria uma caminhada de uma hora e meia, então decidi carregá-lo e o coloquei em uma caixa de reciclagem verde. Não era o ideal, mas não consegui encontrar outra coisa. Mal saímos e ele já deixou claro que não gostava daquilo. Ficou se movendo, colocando a pata sobre a borda da caixa e tentando sair. Então, finalmente, desisti.

— Venha, vou carregar você — disse, pegando-o com o braço livre enquanto levava a caixa de reciclagem com o outro. Ele foi logo subindo para meus ombros, onde se acomodou. Eu o deixei permanecer ali, enquanto carregava a caixa vazia comigo por todo o caminho até o centro da RSPCA.

Entrar no centro era como entrar em uma cena do inferno. Ele estava abarrotado, principalmente com cães e seus proprietários, a maioria dos quais pareciam ser jovens adolescentes de cabeça raspada e tatuagens agressivas. Setenta por cento dos cães eram staffordshire bull terriers, os quais quase certamente haviam se ferido em brigas com outros cães, provavelmente para divertirem as pessoas.

As pessoas sempre falam sobre a Grã-Bretanha como uma "nação de amantes dos animais". Mas não havia muitas demonstrações de amor ali, isso era certo. A forma como algumas pessoas tratam seus animais de estimação realmente me enoja.

O gato sentava-se ora em meu colo, ora em meu ombro. Estava certo de que ele estava nervoso e não podia culpá-lo. Ele recebia rosnados da maioria dos cães na sala de espera. Um ou dois estavam sendo mantidos firmemente em suas coleiras, enquanto se esforçavam para se aproximar dele.

Um por um, os cães foram levados para a sala de tratamento. A cada vez que a enfermeira aparecia, no entanto, ficávamos decepcionados. No final, levamos quatro horas e meia para sermos atendidos.

Finalmente, ela disse:

— Sr. Bowen, o veterinário vai vê-lo agora.

Ele era um veterinário de meia-idade. Tinha aquela expressão cansada do mundo de quem já viu de tudo, que é possível observar no rosto de algumas pessoas. Talvez fosse por toda a agressão pela qual estivera cercado fora do consultório, mas senti-me imediatamente irritado com ele.

— Então, qual é o problema? — perguntou.

Sabia que o cara estava apenas fazendo seu trabalho, mas tive vontade de dizer: "Bom, se eu soubesse, não estaria aqui", mas resisti à tentação. Contei a ele como havia encontrado o gato no corredor de meu prédio e apontei o abscesso na parte de trás de sua perna.

— Ok, vamos dar uma olhadinha nele — disse ele.

Percebeu que o gato estava sentindo dor e lhe deu uma pequena dose de diazepam para ajudar a aliviá-la. Então, explicou que daria uma receita para um tratamento de duas semanas com amoxicilina para gatos.

— Volte a me consultar se as coisas não melhorarem em duas semanas — falou.

Pensei em aproveitar a oportunidade e lhe perguntar sobre as pulgas. Ele deu uma olhada rápida em meio à pelagem do gato, mas disse não ter encontrado nada.

— Mas, provavelmente, vale a pena dar a ele uns comprimidos para isso. Pode ser um problema em gatos jovens — afirmou.

Mais uma vez, resisti à tentação de dizer a ele que eu sabia disso. Observei-o enquanto escrevia uma receita contra as pulgas também. Para seu crédito, ele também verificou se o laranjinha tinha um microchip. Não tinha, o que me sugeriu, mais uma vez, que ele era um gato de rua.

— Você deve colocar um quando tiver chance — disse. — Creio também que ele deva ser esterilizado muito em breve — acrescentou, entregando-me um folheto e um formulário de um esquema de castração gratuita para gatos de rua. Dada a forma como ele arranhou toda a casa e era tão agitado comigo, assenti, concordando com seu diagnóstico.

— Acho que é uma boa ideia — sorri, esperando que ele, ao menos, perguntasse-me por quê.

Mas o veterinário não pareceu interessado. Ele estava preocupado somente em digitar suas anotações em um computador e imprimir a receita. Obviamente, estávamos em uma linha de produção que precisava nos processar e lançar para fora do consultório, aprontando-o para o paciente seguinte. Não era culpa dele — era o sistema.

Dentro de alguns minutos, havíamos terminado.

Após deixar o consultório veterinário, fui até o balcão da farmácia e entreguei a receita. A senhora de avental branco que estava ali foi um pouco mais amigável.

— Ele é um amiguinho de aparência adorável — disse ela. — Minha mãe teve um laranjinha certa vez. O melhor companheiro que ela já teve. Um temperamento maravilhoso. Ele costumava se sentar aos pés dela olhando o mundo passar. Poderiam atirar uma bomba ali e ele não a deixaria — ela registrou os itens na caixa registradora e me deu a conta. — Isso vai lhe custar 22 libras, querido, por favor — disse ela.

Meu coração se afundou.

— Vinte e duas libras! É sério? — indaguei. Àquela altura, tudo o que eu tinha no mundo eram pouco mais que 30 libras.

— Temo que sim, querido — disse a enfermeira, parecendo simpática, mas, ao mesmo tempo, implacável.

Entreguei as 30 libras em dinheiro e peguei o troco. Era muito dinheiro para mim. O salário de um dia. Mas sabia que não tinha outra opção: não podia deixar meu novo amigo sofrer.

— Parece que estamos presos um ao outro pela próxima quinzena — disse para o laranjinha enquanto saíamos do centro e começávamos nossa longa caminhada de volta para o apartamento.

Era verdade. De maneira nenhuma eu me livraria do gato, pelo menos pela próxima quinzena, não até que ele completasse seu tratamento medicamentoso. Ninguém mais se preocuparia em se certificar de que ele tomaria seus comprimidos e eu não podia deixá-lo nas ruas, ou ele poderia pegar uma infecção.

Não sei por que, mas a responsabilidade de cuidar dele blindou-me um pouco. Senti como se tivesse um propósito extra em minha vida, algo de positivo a fazer por alguém — ou por um animal — além de mim mesmo.

Naquela tarde, fui a uma loja de animais e comprei-lhe comida para duas semanas. Na RSPCA, havia recebido uma amostra de um alimento com fórmula manipulada e dei a ele para que experimentasse na noite anterior. Ele gostou, por isso comprei um saco daquilo. Também comprei um suprimento de ração para gato. Custou-me cerca de nove libras, que realmente eram todo o dinheiro que eu ainda tinha.

Naquela noite, tive que deixá-lo sozinho e me dirigir para Covent Garden com minha guitarra. Agora, tinha duas bocas para alimentar.

Ao longo dos dias seguintes, enquanto cuidava para que ele recuperasse a saúde, pude conhecê-lo um pouco melhor. Agora, tinha dado um nome a ele: Bob. Tivera essa ideia enquanto assistia a um DVD de uma de minhas antigas séries de TV favoritas, *Twin Peaks*. Havia um personagem na série chamado Bob Assassino. Na verdade, ele era esquizofrênico, um personagem tipo Dr. Jekyll e Mr. Hyde. Parte do tempo era um cara normal, são, e em outros momentos era uma espécie de louco descontrolado. O laranjinha era um pouco assim. Quando estava feliz e contente, não poderia haver gato mais calmo e gentil. Mas, quando a agitação o dominava, ele podia se tornar um completo maníaco, correndo pelo apartamento. Estava conversando com minha amiga Belle certa noite quando me dei conta disso.

— Ele é meio como o Bob Assassino em *Twin Peaks* — disse, recebendo dela um olhar indiferente.

Mas isso não importava. Era Bob e pronto.

Estava muito claro para mim agora que Bob devia ter vivido nas ruas. Quando era hora de usar o banheiro, ele se recusava a ir até a caixa de areia que havia comprado para ele. Em vez disso, precisava levá-lo para baixo e deixá-lo fazer suas necessidades nos jardins que cercavam os apartamentos. Ele saía correndo até algum trecho de vegetação mais alta e fazia o que era necessário. Em seguida, cavava o chão para encobrir as evidências.

Vendo-o passar por seu ritual matutino, eu me perguntava se ele pertencera a viajantes. Havia um bom número deles ao redor da região de Tottenham. Na verdade, havia um acampamento deles em um terreno perto de meu prédio. Talvez ele tivesse sido parte de uma família de viajantes e, de alguma forma, ficara para trás quando foram embora. Ele definitivamente não era um gato doméstico, isso eu já sabia.

Não havia dúvida de que ele estava desenvolvendo um carinho por mim. Assim como, de fato, eu por ele. No começo, ele tinha sido carinhoso, mas ainda um pouco cauteloso comigo. Porém, com o passar dos dias, tornou-se mais e mais confiante — e amigável. Ele ainda podia ser muito violento e até mesmo agressivo às vezes. Mas agora compreendia que era pelo fato de que ele precisava ser castrado.

Nossa vida se estruturou em torno de certa rotina. Eu deixava Bob no apartamento pela manhã e me dirigia para Covent Garden, onde tocava até que tivesse dinheiro suficiente. Quando voltava para o apartamento, ele estava me esperando na porta da frente. Então, seguia-me até o sofá da sala e assistia à televisão comigo.

A essa altura, estava começando a perceber quão esperto era o gato. Notei que ele entendia tudo o que eu dizia a ele. Quando dava um tapinha no sofá e o convidava a vir sentar-se a meu lado, ele vinha. Também compreendia o que eu queria dizer quando avisava que era hora de ele tomar os remédios. Todas as vezes ele olhava para mim como se dissesse: "Eu tenho mesmo que tomar?". Mas não lutava comigo enquanto eu colocava os comprimidos em sua boca e esfregava sua garganta suavemente até que ele engolisse. A maioria dos gatos fica louca quando alguém tenta abrir sua boca. Mas ele já confiava em mim.

Foi nessa época que comecei a perceber que havia algo de realmente especial nele. Com certeza, nunca havia encontrado um gato parecido com Bob.

Ele não era perfeito, de forma alguma. Sabia de onde vinha a comida e, regularmente, entrava na cozinha sem ser convidado, derrubando panelas e frigideiras enquanto procurava alimento. Os armários e a porta da geladeira já traziam marcas de arranhões, mostrando os locais onde ele estivera tentando freneticamente alcançar algo gostoso para comer.

Para ser justo com ele, Bob obedecia se eu dissesse *não*. Tudo que eu precisava fazer era dizer:

— Não, fique longe daí, Bob. — E ele escapulia. Mais uma vez, isso demonstrava quão inteligente ele era. E, mais uma vez, levantava todos os tipos de perguntas sobre seu passado. Será que um gato feral ou de rua prestariam tanta atenção ao que um ser humano lhes dissesse? Eu duvidava.

Realmente gostava da companhia de Bob, mas sabia que precisava ser cuidadoso. Não podia forjar uma amizade muito forte porque, mais cedo ou mais tarde, ele ia querer voltar para as ruas. Não era o tipo de gato que gostava de ficar fechado permanentemente. Não era um gato doméstico.

Por enquanto, contudo, eu era seu guardião e estava determinado a fazer meu melhor para tentar cumprir esse papel. Sabia que precisava fazer todo o possível para prepará-lo para o retorno às ruas. Por isso, certa manhã, preenchi o formulário que o veterinário da RSPCA havia me dado para o serviço gratuito de castração. Postei-o no correio e, para minha surpresa, tive uma resposta dentro de poucos dias. A carta continha um certificado que nos garantia uma castração gratuita.

Na manhã seguinte, desci com Bob até a rua para que ele fizesse suas necessidades do lado de fora novamente. As caixas de areia que havia lhe comprado permaneceram limpas e não utilizadas. Ele simplesmente não gostou delas.

Ele foi até o mesmo local nos arbustos contíguos às residências vizinhas. Parecia ser uma área favorita por algum motivo. Eu suspeitava que tinha algo a ver com ele marcar seu território, assunto sobre o qual havia lido em um artigo científico em algum lugar.

Como de costume, Bob ficou por lá um minuto ou dois e, em seguida, passou um tempo limpando as coisas atrás de si. A limpeza e a arrumação dos gatos nunca deixam de me surpreender. Por que é algo tão importante para eles?

Ele se certificou de que tudo estava bem e estava saindo da vegetação quando, de repente, estacou e ficou tenso, como se tivesse visto alguma coisa. Estava prestes a ir até ele ver o que o estava incomodando quando a resposta se tornou evidente.

De repente, Bob avançou em velocidade de relâmpago. A coisa toda aconteceu como um borrão. Antes que eu percebesse, Bob havia agarrado algo em meio à grama, perto da cerca. Eu me aproximei para espiar e vi que se tratava de um pequeno rato cinzento, que não chegava a 8 centímetros de comprimento.

O bichinho, claramente, havia tentado correr dele, mas não tivera chance. Bob atacara com a velocidade e a precisão de um relâmpago e, agora, a criatura estava entre seus dentes. Não era uma visão das mais bonitas. As pernas do rato se debatiam e Bob reposicionou o corpo cuidadosamente em seus dentes para que pudesse acabar com o rato. Não demorou muito para que o inevitável acontecesse, e a pequena criatura desistiu da luta. Foi nesse ponto que Bob o soltou da boca e o colocou no chão.

Eu sabia o que, provavelmente, aconteceria em seguida, mas não queria que Bob o comesse. Ratos eram notórios criadouros de doenças. Então, ajoelhei-me e tentei pegar a presa. Ele não ficou muito feliz com isso e soltou um ruído que era parte rosnado e parte sibilo. Então, levantou o rato novamente.

— Dê isso para mim, Bob — eu disse, recusando-me a recuar. — Dê para mim.

Ele realmente não estava muito disposto e, dessa vez, me olhou como se dissesse: "Por que eu deveria?".

Procurei em meu casaco e encontrei um biscoito, oferecendo-lhe uma troca.

— Pegue isto em vez do rato, Bob, vai ser muito melhor para você.

Ele ainda não estava convencido, mas depois de mais alguns momentos o impasse chegou ao fim e ele cedeu. Tão logo Bob se afastou do rato, peguei o bichinho pelo rabo e o descartei.

Era outro lembrete do que, pelo menos para mim, é uma das muitas coisas fascinantes sobre gatos: eles são predadores letais por natureza. Muitas pessoas não gostam de pensar em seu gatinho fofinho como um assassino serial, mas isso é o que os gatos são, bastando que tenham oportunidade. Em algumas partes do mundo, incluindo a Austrália, há regras estritas sobre permitir que os gatos saiam à noite, por causa da carnificina que eles causam entre a população local de aves e roedores.

Bob tinha provado o ponto. Sua frieza, sua velocidade e sua habilidade como assassino eram incríveis de se ver. Ele sabia exatamente o que fazer e como fazer.

Aquilo me fez pensar novamente sobre a vida que ele devia ter levado antes de chegar ao corredor do prédio. Que tipo de existência tinha sido? Onde vivera e como sobrevivera? Ele havia se sustentado perseguindo e comendo presas a cada dia? Fora criado em um ambiente doméstico ou sempre vivera assim, da caça? Como ele se tornara o gato que era agora? Eu gostaria de tê-lo conhecido. Tinha certeza de que meu amigo vira-lata tinha uma ou duas histórias para contar.

De muitas maneiras, essa era outra coisa que Bob e eu tínhamos em comum.

Desde que eu havia passado a viver nas ruas, as pessoas tentavam imaginar sobre meu passado. Como eu havia chegado àquela situação?, elas me perguntavam. Algumas o faziam profissionalmente, é claro. Eu havia conversado com dezenas de assistentes sociais, psicólogos e até policiais, os quais me interrogaram sobre como eu acabara vivendo nas ruas. Mas muitas pessoas comuns também me perguntavam sobre isso.

Não sei por que, mas as pessoas parecem ficar fascinadas em saber como alguns membros da sociedade caem pelas rachaduras. Creio que, em parte, é por aquela sensação de que "foi a vontade de Deus", que poderia acontecer a qualquer um. Mas também creio que isso faz com que as pessoas se sintam melhores com suas próprias vidas. Isso as faz pensar: "Bom, acho que minha vida é ruim, mas poderia ser pior — eu poderia ser aquele pobre coitado".

A resposta para como alguém como eu acaba nas ruas é sempre diferente, é claro. Mas, geralmente, há algumas semelhanças. Muitas vezes, as drogas e o álcool desempenham um papel importante na história. Contudo, em uma enorme quantidade de casos, a estrada que nos leva a viver na rua se estende por todo o caminho de volta até nossa infância e nosso relacionamento com a família. Essa foi, certamente, a forma como aconteceu comigo.

Vivi uma infância sem raízes, principalmente porque a passei viajando entre o Reino Unido e a Austrália. Nasci em Surrey, mas, quando tinha 3 anos, minha família mudou-se para Melbourne. Minha mãe e meu pai haviam se separado a essa altura. Enquanto meu pai ficou em Surrey, minha mãe se afastou de todo o aborrecimento arrumando um emprego de vendedora com a Rank Xerox, a empresa de fotocópias, em Melbourne. Ela era muito boa nisso também e foi uma das melhores vendedoras da empresa.

Minha mãe tinha coceira nos pés, entretanto, em cerca de dois anos, mudou-se de Melbourne para a Austrália Ocidental. Ficamos lá por cerca de três ou quatro anos, até eu ter mais ou menos 9 anos. A vida na Austrália era muito boa. Vivemos em uma sucessão de grandes bangalôs, cada um dos quais com grandes jardins na parte de trás. Eu tinha todo o espaço que um menino poderia querer para brincar e explorar o mundo e adorava a paisagem australiana.

O problema era que eu não tinha nenhum amigo.

Achei muito difícil me adaptar à escola, principalmente, acredito, porque nós nos mudávamos muito. As chances de me ajustar à vida na

Austrália desapareceram quando tinha 9 anos e nós nos mudamos de volta para o Reino Unido e para Sussex, perto de Horsham. Gostei de retornar à Inglaterra e tenho algumas boas lembranças desse período. Já estava retomando minha vida no hemisfério norte quando tive que me mudar mais uma vez — de volta para a Austrália Ocidental, quando tinha por volta de 12 anos.

Dessa vez, acabamos em um lugar chamado Quinn's Rock. Foi lá que muitos de meus problemas realmente começaram, creio eu. Em função de todas aquelas viagens, nunca vivemos em uma casa por mais de dois anos. Minha mãe estava sempre comprando e vendendo, mudando-se o tempo todo. Nunca tive uma casa de família e nunca vivi em um só lugar. Definitivamente tínhamos uma vida semelhante à dos ciganos.

Não sou psicólogo, mas conheci minha cota deles ao longo dos anos. Não há dúvida em minha mente de que mudávamos demais de casa, e isso não era bom para uma criança em desenvolvimento. Era muito difícil para mim me envolver socialmente. Na escola, era muito difícil fazer amigos. Estava sempre tentando arduamente. Vivia ansioso para impressionar, o que não é algo bom quando você é uma criança. Gerou-se o resultado oposto: acabei sofrendo *bullying* em cada escola que frequentei. Isso foi particularmente ruim em Quinn's Rock.

Provavelmente, ainda mantinha sotaque britânico e minha atitude ansiosa por agradar. Eu era mesmo um alvo fácil. Um dia, eles decidiram me apedrejar. Literalmente. Quinn's Rock chamava-se Quinn's Rock, a pedra de Quinn, por alguma razão, e aquelas crianças aproveitaram todas aquelas bonitas pedras de calcário espalhadas por todos os lugares. Sofri uma concussão depois de ser bombardeado no caminho da escola para casa.

Também não ajudava o fato de que não me dava nada bem com meu padrasto da época, um cara chamado Nick. Em minha opinião de adolescente, ele era um idiota — e foi disso que o chamei. Nick, o

Idiota. Minha mãe o conhecera ao se juntar à polícia em nossa volta para Horsham, e ele viera com ela para a Austrália.

Continuamos vivendo essa mesma existência nômade por toda a minha adolescência. As mudanças eram geralmente ligadas aos muitos empreendimentos de negócios de minha mãe. Ela era uma mulher muito bem-sucedida. Em certo ponto, começou a fazer vídeos de treinamento de telemarketing, o que deu muito certo por um tempo. Então, ela lançou uma revista feminina chamada *City Woman*, ou Mulher da Cidade, que não deu tão certo. Às vezes, tínhamos muito dinheiro; em outras vezes, estávamos lisos. Mas isso nunca perdurou por muito tempo; ela era uma excelente empreendedora.

Mais ou menos na metade da adolescência, abandonei a escola. Saí porque estava completamente esgotado do *bullying* que encontrara por lá. Também não me tornei próximo de Nick.

E eu tinha uma forma muito independente de pensar. Tornei-me um rebelde, um garoto selvagem que estava sempre atrasado, sempre desafiando minha mãe e, geralmente, torcendo o nariz para qualquer autoridade, não importando qual fosse ela. Não é surpreendente que logo eu tenha desenvolvido um talento especial para me meter em problemas, algo de que nunca consegui me desvencilhar totalmente.

De maneira previsível, entrei nas drogas, no início cheirando cola, provavelmente para fugir da realidade. Não me tornei viciado em cola. Só cheirei algumas vezes depois de ver outro garoto cheirando. Mas foi o início do processo. Depois, comecei a fumar maconha e cheirar tolueno, um solvente industrial que você encontra no verniz e na cola. Estava tudo conectado, tudo fazia parte de um ciclo de comportamento; uma coisa levava à outra, que levava à outra, e assim por diante. Estava com raiva. Sentia-me como se não tivesse pegado as melhores ondas.

Mostre-me a criança de 7 anos e eu lhe mostrarei o homem, dizem. Não estou bem certo do que alguém teria visto em meu futuro quando eu tinha 7 anos, mas certamente poderia ter adivinhado o que estava por vir quando eu tinha 17. Eu havia tomado o caminho da autodestruição.

Minha mãe fez o máximo para conseguir me livrar das drogas. Ela podia ver o dano que eu estava causando — e os problemas ainda piores que eu causaria a mim mesmo se não me livrasse dos hábitos que estava cultivando. Ela fazia todas as coisas que as mães fazem. Vasculhava meus bolsos, tentando encontrar drogas, e até me trancou em meu quarto algumas vezes. Mas as fechaduras em nossa casa eram aquelas com botões no meio. Aprendi a encontrá-los de um modo muito simples com um grampo de cabelo. Eles simplesmente estalavam e eu estava livre. Não seria contido por minha mãe — nem por qualquer outra pessoa. Discutíamos ainda mais depois, claro, e, inevitavelmente, as coisas foram de mal a pior.

Em dado momento, mamãe me levou a um psiquiatra. Ele me diagnosticou com todas as coisas, de esquizofrenia e psicose maníaco-depressiva[3] a TDAH, ou transtorno do déficit de atenção com hiperatividade. Claro, pensei que fosse tudo mentira. Eu era um adolescente confuso que achava que sabia mais do que todos. Olhando para trás, vejo que minha mãe deve ter ficado muito preocupada. Ela deve ter se sentido impotente e aterrorizada com o que ia acontecer comigo. Mas eu estava alheio aos sentimentos das outras pessoas. Não me importava e nem ouvia ninguém.

A situação ficou tão ruim entre nós que, por um tempo, morei em um albergue da caridade cristã. Passava o tempo todo lá, usando drogas e tocando guitarra. Não necessariamente nessa ordem.

Perto de meu aniversário de 18 anos, anunciei que voltaria para Londres para viver com minha meia-irmã do casamento anterior de meu pai. Isso marcou o início da espiral descendente.

Na época, parecia que eu estava partindo para o mundo como qualquer adolescente normal. Minha mãe me levou ao aeroporto e me

---

[3] Hoje conhecida como transtorno bipolar. (N. P.)

deixou lá sem sair do carro. Paramos em um sinal vermelho e eu saltei, dando-lhe um beijo no rosto e acenando em despedida. Estávamos pensando que eu ficaria fora por seis meses ou um pouco mais. Esse era o plano. Eu ficaria por seis meses, sairia com minha meia-irmã e perseguiria meus sonhos grandiosos de me tornar músico.

Mas as coisas não saíram exatamente conforme o plano.

A princípio, fui para ficar com minha meia-irmã no sul de Londres. Mas meu cunhado não encarou minha chegada muito amavelmente. Como eu disse, era um adolescente rebelde que se vestia como um gótico e era — provavelmente — um verdadeiro chute no saco, especialmente porque não estava contribuindo com as contas da casa.

Na Austrália, eu trabalhara com informática e vendera telefones móveis, mas, de volta ao Reino Unido, não conseguira um emprego decente. O primeiro que fora capaz de arranjar foi trabalhando como barman. Mas meu perfil não se encaixava no que eles queriam e me demitiram depois de me usar para cobrir as férias de outras pessoas durante o Natal de 1997. Como se isso não fosse ruim o suficiente, escreveram uma carta para o escritório de seguridade dizendo que eu saíra do trabalho, o que significava que não receberia os benefícios aos quais teria direito em virtude de ter nascido na Inglaterra.

Depois disso, tornei-me ainda menos bem-vindo na casa de meu cunhado. Finalmente, minha meia-irmã e ele me expulsaram. Fiz contato com meu pai e fui visitá-lo duas vezes, mas era evidente que não seríamos capazes de nos relacionar. Nós mal nos conhecíamos. Assim, morar com ele estava fora de questão. Passei a dormir no chão e nos sofás dos amigos. Logo, estava levando uma vida nômade, carregando comigo meu saco de dormir para vários apartamentos e buracos nos arredores de Londres. Então, quando fiquei literalmente "sem chão", mudei-me para as ruas.

As coisas pioraram rapidamente a partir disso.

Viver nas ruas de Londres desnuda sua dignidade, sua identidade — sua totalidade, de fato. O pior de tudo, desnuda a opinião das pessoas a seu respeito. Elas veem que você está vivendo nas ruas e o tratam como uma não pessoa. Não querem ter nada a ver com você. Em pouco tempo, você passa a não ter sequer um amigo de verdade no mundo. Enquanto estava dormindo ao relento, consegui um emprego para trabalhar como porteiro de uma cozinha. Mas eles me demitiram quando descobriram que eu era um sem-teto, embora não houvesse feito nada de errado no trabalho. Realmente, quando não se tem uma moradia, tem-se muito poucas chances.

A única coisa que poderia ter me salvado seria voltar para a Austrália. Tinha uma passagem de volta, mas perdi meu passaporte duas semanas antes do voo. Não tinha a documentação e, além disso, não tinha dinheiro para providenciá-la. Qualquer esperança que tivesse de voltar para minha família na Austrália desapareceu. E assim, de certa forma, eu também.

A fase seguinte de minha vida foi uma névoa de drogas, pequenos crimes — e, bem, falta de esperança. Também não ajudou o fato de que desenvolvi o hábito da heroína.

Comecei a usá-la, no início, simplesmente para conseguir dormir à noite nas ruas. Ela me anestesiava contra o frio e a solidão. Ela me levava para outro lugar. Infelizmente, também tomou posse de minha alma. Em 1998, havia me tornado totalmente dependente. Provavelmente, cheguei perto da morte algumas vezes, embora, para ser honesto, estivesse tão alienado às vezes que simplesmente não notava.

Durante esse período, não me ocorreu entrar em contato com ninguém de minha família. Havia desaparecido da face da terra — e não me importava com isso. Estava ocupado demais em sobreviver. Pensando agora naquele tempo, posso apenas imaginar que eles devem ter passado por um inferno. Devem ter ficado extremamente preocupados.

Tive uma vaga ideia da dor que estava causando cerca de um ano depois de ter chegado a Londres e cerca de nove meses ou mais depois de passar a viver nas ruas.

Contatara meu pai quando chegara a Londres, mas não falava com ele havia meses. Foi na época do Natal que decidi ligar para ele. Sua esposa — minha madrasta — atendeu ao telefone. Ele se recusou a atender ao telefone e me deixou esperando por alguns minutos. Estava muito zangado comigo.

— Em que p*** de lugar você tem andado? Todos nós estamos desesperados de preocupação com você — disse quando se recompôs o suficiente para falar comigo.

Dei algumas desculpas patéticas, mas ele gritou comigo. Disse que minha mãe vinha entrando em contato com ele desesperadamente, tentando descobrir onde eu estava. Essa era a medida de como ela estava preocupada. Os dois nunca se falavam. Ele gritou e berrou comigo por cinco minutos inteiros. Percebo agora que foi uma mistura de alívio e de raiva. Ele provavelmente pensara que eu estivesse morto, o que, de certa forma, eu estava.

Esse período de minha vida durou mais ou menos um ano. Finalmente, fui retirado das ruas por um grupo de caridade para sem-tetos. Fiquei em diversos abrigos. Connections, logo depois da Alameda St. Martin, foi um deles. Na época, estava dormindo ao relento no mercado ao lado.

Acabei no que é conhecido como lista de "habitação vulnerável", a qual me qualificava como prioridade para moradia subvencionada. O problema foi que, durante a maior parte da década seguinte, acabei vivendo em albergues, B&Bs (*bed & breakfast* — locais que ofereciam cama e café da manhã) e casas horríveis, dividindo meu espaço com viciados em crack e heroína que roubavam tudo o que não estivesse pregado no chão. Em dado momento, tudo o que eu tivera havia sido roubado. Tive que dormir com meus bens mais importantes escondidos dentro de minhas roupas. Sobrevivência era tudo em que eu conseguia pensar.

Inevitavelmente, minha dependência de drogas piorou. Já a meio caminho dos 30 anos, meu hábito se tornou tão ruim que acabei parando na reabilitação. Passei dois meses sendo desintoxicado e, depois disso, fui colocado em um programa de reabilitação de dependentes químicos. Por um tempo, a ida diária até o farmacêutico e o ônibus quinzenal até minha unidade de tratamento de dependência de drogas em Camden se tornaram o foco de minha vida. Tornaram-se quase um reflexo. Eu saía da cama e ia fazer um ou outro no piloto automático, como se estivesse em transe, o que, para ser honesto, muitas vezes eu estava.

Participei de alguns grupos de aconselhamento por lá também. Falava sem parar sobre meu hábito, como ele havia começado — e como eu pretendia dar um fim a ele.

É fácil vir com desculpas para o vício em drogas, mas tenho certeza de que sei a razão para o meu. Foi a solidão pura e simplesmente. A heroína me permitiu me anestesiar quanto a meu isolamento, quanto ao fato de que não tinha família ou um grande círculo de amigos. Estava sozinho e, por mais estranho e insondável que isso possa parecer para a maioria das pessoas, a heroína era minha amiga.

No fundo, porém, sabia que estava me matando — literalmente. Assim, ao longo de alguns anos, passei da heroína para a metadona, o opiáceo sintético que é usado como um substituto no desmame de viciados em morfina e heroína. Na primavera de 2007, o plano era que eu acabasse começando por mim mesmo o desmame e ficasse completamente livre das drogas.

A mudança para o apartamento em Tottenham foi parte fundamental desse processo. Era um prédio comum, cheio de famílias comuns. Sabia que ali tinha uma chance de colocar minha vida de volta aos trilhos.

Para ajudar a pagar o aluguel, comecei a fazer apresentações de rua em Covent Garden. Não era muito, mas ajudava a colocar comida na mesa e a pagar o gás e a eletricidade. Também ajudava a me manter em equilíbrio. Sabia que aquela era minha chance de mudar a situação. E eu sabia que tinha que a agarrar dessa vez. Se fosse um gato, estaria em minha sétima vida.

Capítulo 3

A Esterilização

Quando nos aproximamos do fim da segunda semana de medicação de Bob, ele parecia muito mais radiante. A ferida na parte de trás de sua perna estava se curando bem e as falhas calvas e rareadas em sua pelagem haviam começado a desaparecer, sendo substituídas por uma pelagem nova, mais densa. Ele também parecia mais feliz; seus olhos tinham um brilho mais acentuado. Havia neles um belo fulgor verde e amarelo que não estava lá antes.

Definitivamente, ele estava no caminho da recuperação. A algazarra que fazia pelo apartamento era a prova definitiva disso. Desde o primeiro dia, ele tinha agido como um dervixe rodopiante, voando pelo ambiente, mas na última semana ele se tornara mais como uma bola de energia. Eu não pensara que isso seria possível. Havia momentos em que ele saltava e corria pela casa como uma espécie de maníaco. Arranhava furiosamente toda e qualquer coisa que pudesse encontrar, inclusive eu.

Havia arranhões em cada superfície de madeira no apartamento. Até mesmo eu tinha arranhões na palma da mão e no braço. Não me importava, sabia que não era por maldade e que ele estava apenas brincando.

Ele havia se tornado uma ameaça na cozinha, onde arranhava os armários e a porta da geladeira na tentativa de alcançar meus suprimentos de comida, de modo que tive que comprar duas travas de plástico baratas à prova de crianças.

Também tive que ser cuidadoso quanto a deixar largada qualquer coisa que pudesse se tornar um brinquedo para ele. Um par de sapatos ou uma peça de roupa poderiam ser feitos em pedaços dentro de minutos.

Todas as ações de Bob mostraram que algo precisava ser feito. Eu estivera rodeado por um número suficiente de gatos em minha vida para reconhecer os sinais indicadores. Ele era um jovem macho com testosterona demais fluindo pelo corpo. Não havia nenhuma dúvida de que precisava de esterilização. Assim, dois dias antes que seu tratamento médico terminasse, decidi ligar para os veterinários locais, a clínica Abbey, na Alameda Dalston.

Eu conhecia os prós e os contras de mantê-lo "inteiro", e eles eram, em sua maioria, contras. Se eu não o castrasse, haveria ocasiões em que os hormônios de Bob assumiriam completamente o controle e ele não seria capaz de se impedir de percorrer as ruas em busca de fêmeas dispostas. Isso significava que ele poderia ficar ausente por dias — até semanas — a cada vez. Ele também estaria muito mais propenso a ser atropelado e a se meter em brigas com outros gatos. Até onde eu sabia, essa poderia ter sido a causa da briga que lhe causara a lesão. Gatos machos são muito protetores quanto a seu território e produzem um odor característico para sinalizar sua "área". Bob poderia ter perambulado pelo território de algum outro gato e pagado por isso. Sabia que, provavelmente, era paranoia de minha parte, mas também havia um risco, embora muito pequeno, de contrair doenças como FeLV e FIV, o equivalente felino do HIV, se não fosse castrado. Por último, mas não menos importante, se ele ficasse comigo, também seria um animal de estimação muito mais calmo e manso. Não seria tão propenso a correr como um louco o tempo todo.

Em contrapartida, os prós em não fazer nada equivaliam a uma lista muito curta. Ela consistia em evitar ter que o submeter a uma pequena cirurgia. Era só isso.

A escolha era óbvia.

Liguei para os veterinários que realizavam a cirurgia e falei com uma enfermeira. Expliquei minha situação e perguntei se ele era elegível para uma operação gratuita. Ela disse que sim, desde que eu tivesse um certificado de um veterinário, o qual eu possuía desde as primeiras consultas para resolver o problema na perna dele e conseguir medicamentos contra pulgas e vermes.

A única coisa que me preocupava era o remédio que ele ainda estava tomando. Expliquei que ele estava chegando ao final de um tratamento com antibióticos, mas ela disse que isso não seria um problema. Recomendou que eu o levasse para a cirurgia dali a dois dias.

— Basta trazê-lo e deixá-lo com a gente na parte da manhã. Se tudo sair como planejado, você poderá pegá-lo no final do dia — disse ela.

Levantei-me cedo no dia da operação, contente, sabendo que tinha que o levar para a cirurgia às 10 horas. Era a primeira vez que saíamos juntos do apartamento desde nossa visita à RSPCA.

Eu não o havia deixado sair do apartamento para nada além de fazer suas necessidades no nível da rua, pois ele ainda estava sob o efeito dos antibióticos. Então, coloquei-o na mesma caixa de reciclagem verde de plástico que havia usado 15 dias antes para levá-lo à RSPCA. O clima estava horrível, por isso peguei a tampa e a coloquei levemente sobre a caixa, uma vez que saímos do apartamento. Ele não ficou muito mais tranquilo dentro da caixa naquele dia do que na primeira vez em que eu o colocara dentro dela. Manteve a cabeça para fora, vendo o mundo passar.

A Clínica Abbey é um lugar pequeno, espremido entre uma revistaria e um centro médico em uma área comercial na Alameda Dalston. Chegamos lá muito antes do horário agendado e encontramos o lugar lotado. Foi a cena caótica de sempre, com os cães em coleiras puxando seus donos e rosnando para os gatos dentro de suas gaiolas graciosas. Bob se destacou como uma ferida no polegar em sua gaiola improvisada, tornando-se imediatamente alvo da agressão deles. Mais uma vez, havia vários bull terriers com seus proprietários com aparência de neandertais por ali.

Alguns gatos teriam fugido, tenho certeza. Mas Bob não ficou nada perturbado. Ele parecia ter depositado sua confiança em mim.

Quando meu nome foi chamado, uma enfermeira jovem, de 20 e poucos anos, veio a nosso encontro. Ela trazia alguns papéis consigo e me levou para uma sala onde me fez perguntas que eram, obviamente, padrão.

— Depois de ser realizada, a operação não pode ser revertida. Então, você está certo de que não quer que o Bob venha a procriar no futuro? — indagou.

Eu apenas sorri e assenti.

— Sim, tenho certeza absoluta — respondi, esfregando a cabeça de Bob.

Sua pergunta seguinte me confundiu, no entanto.

— E qual é a idade do Bob? — ela sorriu.

— Ah. Eu realmente não sei — disse, antes de explicar a história dele brevemente.

— Hum, vamos dar uma olhada. — Ela explicou que o fato de que ele ainda não havia sido castrado era uma boa pista sobre sua idade. — Gatos machos e fêmeas tendem a se tornar sexualmente maduros por volta dos seis meses de idade. Se eles permanecem "inteiros" depois disso, passam por algumas mudanças físicas distintas. Por exemplo, os machos ficam com a face mais redonda, especialmente na região das bochechas. Eles também desenvolvem peles mais grossas e geralmente se tornam muito grandes, certamente maiores do que os gatos que foram castrados — ela me disse. — Ele não é tão grande, por isso creio que tenha entre 9 e 10 meses de idade — disse ela.

Enquanto me passava os formulários de autorização, ela explicou que havia risco de complicações menores, mas que era uma chance muito pequena.

— Vamos avaliá-lo minuciosamente e, talvez, fazer um exame de sangue antes de continuar com o procedimento — disse ela. — Se houver algum problema, entraremos em contato com você.

— Ok — disse, parecendo um pouco envergonhado. Eu não tinha um celular funcionando. Eles teriam problemas para me contatar.

Ela, então, explicou-me o procedimento em si:

— A operação acontece sob anestesia geral e, geralmente, é bastante simples. Os testículos são removidos através de duas pequenas incisões feitas no saco escrotal.

— Ai, Bob — gemi, esfregando-o de maneira divertida.

— Se tudo correr bem, você pode vir buscar o Bob daqui a seis horas — disse ela, olhando para o relógio. — Ou seja, por volta das 16h30. Tudo bem?

— Sim, ótimo — assenti. — Até mais, então.

Depois de fazer um último carinho em Bob, voltei para as ruas nubladas. A chuva era iminente mais uma vez.

Eu não tinha tempo para ir até o centro de Londres. Tão logo houvesse organizado o espaço e cantado algumas músicas, já seria hora de voltar. Então, decidi me arriscar ao redor da estação ferroviária mais próxima, Dalston Kingsland. Não era o melhor local de exposição do mundo, mas me garantiu algum dinheiro e um lugar para passar o tempo enquanto esperava por Bob. Havia também uma oficina de sapateiro muito amigável, ao lado da estação, onde sabia que poderia abrigar-me da chuva inevitável quando ela viesse.

Tentei tirar Bob dos pensamentos enquanto tocava. Não queria imaginá-lo em uma sala de operações. Ele provavelmente passara a vida nas ruas e poderia muito bem ter sofrido todo tipo de coisas erradas. Eu já havia ouvido histórias de cães e gatos que entraram em cirurgias veterinárias para diversos procedimentos menores e nunca mais voltaram. Esforcei-me em manter meus pensamentos mais sombrios de lado. O fato de haver grandes nuvens negras e ameaçadoras sobre minha cabeça não ajudou em nada.

O tempo passou muito, muito devagar. Finalmente, no entanto, o relógio marcou 16h15 e comecei a guardar minhas coisas. Quase corri os últimos cem metros até a clínica.

A enfermeira que eu vira antes estava na recepção, conversando com um colega, e me cumprimentou com um sorriso caloroso.

— Como ele está? Foi tudo bem? — perguntei, ainda respirando pesadamente.

— Ele está bem, absolutamente bem. Não se preocupe — disse ela. — Recupere o fôlego e eu o levo até ele.

Era estranho. Não me sentia tão preocupado assim com ninguém — ou algum animal — havia anos.

Fui para a área cirúrgica e vi Bob deitado em uma gaiola aquecida.

— Oi, Bob, companheiro. Como vai? — perguntei.

Ele ainda estava muito tonto e sonolento, de modo que não me reconheceu por um tempo, mas, quando o fez, ficou de pé e começou a arranhar as portas da gaiola, como se dissesse: "Me tira daqui!".

A enfermeira me levou para assinar a notificação de alta e, em seguida, deu uma boa avaliada em Bob para ter certeza de que ele estava pronto para sair.

Ela era realmente adorável e muito atenciosa, o que foi uma mudança agradável depois da última experiência que eu tivera em clínicas veterinárias. Ela me mostrou onde as incisões foram feitas.

— Ele vai ficar inchado e dolorido nessa região por dois dias, mas isso é normal — disse. — Basta verificar de vez em quando para se certificar de que não há pus nem nada assim. Se notar algo, ligue para cá ou traga-o de volta, para que possamos examiná-lo. Tenho certeza de que ele vai ficar bem.

— Por quanto tempo ele ainda vai ficar tonto? — perguntei a ela.

— Pode levar até dois dias para ele voltar ao estado normal, de olhos brilhantes e cauda armada — disse ela. — Isso varia muito. Alguns gatos se recuperam imediatamente. Outros ficam irritadiços por até dois dias. Mas eles voltam ao normal, com certeza, dentro de 48 horas. Ele provavelmente não vai querer comer muito no dia seguinte, mas o apetite vai voltar muito em breve. Se ficar muito sonolento e apático, ligue para nós ou o traga para uma avaliação. É muito raro, mas às vezes os gatos sofrem infecções em decorrência da operação — disse ela.

Eu trouxe a caixa de reciclagem comigo novamente e estava prestes a pegar Bob para colocá-lo dentro dela quando a enfermeira me disse para esperar.

— Espere — disse ela. — Acho que podemos fazer melhor que isso.

Ela se afastou por alguns minutos e, depois, trouxe uma caixa de transporte azul-celeste encantadora.

— Oh, isso não é meu — eu disse.

— Ah, não se preocupe, está tudo bem. Temos um monte delas, você pode levar essa. É só a devolver quando estiver passando por aqui.

— Sério?

Eu não tinha ideia de como aquilo tinha chegado lá. Talvez alguém houvesse deixado para trás. Ou talvez alguém houvesse trazido seu gato nela e voltado para descobrir que ela não seria mais necessária. Eu não queria me debruçar demais sobre esse pensamento.

Era óbvio que a operação tinha exigido muito de Bob. Na caixa, a caminho de casa, ele permaneceu quieto, meio dormindo. Quando entramos no apartamento, caminhou lentamente até seu local preferido, perto do aquecedor, e se deitou. Dormiu a noite toda.

Tirei o dia de folga do trabalho no dia seguinte para ter certeza de que ele estava bem. O veterinário aconselhara a supervisioná-lo de 24 a 48 horas após a operação para ter certeza de que não haveria nenhum efeito colateral. Eu deveria prestar atenção especialmente à ocorrência de sonolência contínua, o que não seria um bom sinal.

O final da semana estava se aproximando e sabia que precisaria de algum dinheiro. Mas nunca me perdoaria se algo desse errado; por isso, fiquei no apartamento, observando Bob por 24 horas.

Felizmente, ele ficou absolutamente bem. Na manhã seguinte, já estava mais alegre e comeu um pouco do café da manhã. Tal como a enfermeira havia previsto, ele não estava com o apetite normal, mas comeu meia tigela de sua comida favorita, o que foi encorajador. Também andou um pouco pelo apartamento, embora, novamente, não estivesse em seu estado normal efervescente.

Ao longo dos dois dias que se seguiram, ele começou a se tornar mais parecido com o velho Bob. Dentro de três dias de pós-operatório, estava devorando a comida como antes. Sabia que ele ainda sentia um pouco de dor ocasional. Estremecia ou parava subitamente de vez em quando, mas aquilo não era um grande problema.

Sabia que ele ainda teria aquela meia hora de loucura diária de vez em quando, mas estava feliz por ter agido.

Capítulo 4

Passe Livre

Conforme a quinzena chegou ao fim, percebi que tinha que pensar em colocar Bob para fora do apartamento e de volta às ruas. Era de onde ele havia vindo — e decidi que era para onde ele gostaria de voltar.

Ele continuou a fazer um grande progresso e parecia muito mais saudável do que quando eu o conhecera. Havia engordado muito mais também.

Então, um ou dois dias depois de ele haver concluído o tratamento medicamentoso e se recuperado totalmente da operação, desci as escadas com Bob e saí para o corredor. Levei-o até o lado de fora do portão e apontei na direção da rua.

Ele apenas permaneceu ali, fixo no local, olhando-me confuso, como se dissesse: "O que você quer que eu faça?".

— Vai, vai, vai — disse, fazendo movimentos com as mãos.

Aquilo não teve nenhum efeito sobre ele.

Por um momento simplesmente fiquei ali, envolvido em uma minicompetição de olhar fixo com ele. Mas, então, ele girou nos calcanhares e saiu andando, não na direção da rua, mas para o pedaço de terra onde gostava de fazer suas necessidades. Depois, cavou um buraco, cobriu tudo e caminhou de volta para mim.

Dessa vez, sua expressão disse: "OK, fiz o que você queria. E agora?".

Foi então que, pela primeira vez, um pensamento começou a se cristalizar em minha cabeça.

— Eu acho que você quer ficar — falei baixinho para ele.

Parte de mim estava satisfeita. Gostava de sua companhia e ele certamente era uma figura. Mas, pensando de forma sensata, sabia que não deveria ter deixado aquilo acontecer. Ainda estava lutando para cuidar de mim. Ainda estava em um programa para dependentes químicos, e estaria ainda por um longo tempo. De que forma cuidaria de um gato, mesmo um gato tão inteligente e autossuficiente como Bob? Não era justo — para nenhum de nós.

Então, com o coração pesado, decidi que teria que começar devagar, facilitando a saída dele do apartamento durante o dia. Quando fosse para o trabalho de manhã, não o deixaria no apartamento. Eu o levaria comigo e então o deixaria do lado de fora, nos jardins.

— Linha dura — disse a mim mesmo.

Ele não gostou nem um pouco.

A primeira vez que fiz isso, ele me lançou um olhar que dizia "traidor". Quando comecei a me distanciar com minha guitarra sobre o ombro, ele me seguiu, caçando-me em silêncio, ziguezagueando pelo asfalto como um espião, tentando manter-se invisível. Só que era fácil detectar sua pelagem alaranjada característica, surgindo de tempos em tempos e ondulando ao redor.

Cada vez que eu o via, parava e agitava os braços, gesticulando claramente para que voltasse. Ele coxeava para longe, relutantemente, lançando-me alguns olhares traídos enquanto se afastava. Finalmente, ele entendeu a mensagem e desapareceu.

Quando voltei, cerca de seis horas mais tarde, ele estava esperando por mim na entrada do prédio. Parte de mim queria impedi-lo de entrar. Mas essa parte foi dominada por aquela que queria convidá-lo mais uma vez para o apartamento, para que se enrolasse em meus pés.

Ao longo dos próximos dias, nós dois meio que estabelecemos uma rotina.

Todos os dias, eu o deixava do lado de fora. Todas as noites, quando voltava das apresentações de rua, eu o encontrava esperando por mim, do lado de fora, em um beco ou — caso alguém o houvesse deixado entrar durante o dia — sentado no tapete do lado de fora de meu apartamento. Ele não pretendia ir embora, isso era óbvio.

Decidi que precisava dar o passo final e deixá-lo do lado de fora durante a noite. Na primeira noite em que fiz isso, eu o vi escondido na área onde ficavam as lixeiras. Tentei me esgueirar para dentro sem que ele me visse. Foi uma jogada estúpida. Ele era um gato, tinha mais sentidos em um dos bigodes do que eu tinha no corpo inteiro. Eu nem sequer havia aberto a porta do prédio e ele já estava ali, espremendo-se para entrar. Deixei-o no corredor naquela noite, mas ele estava em meu capacho quando saí do apartamento pela manhã.

Nos dias subsequentes, tivemos o mesmo desempenho. Todos os dias, quando eu pisava fora, ele estava andando pelo corredor ou esperando junto à porta. Todas as noites, encontrava uma maneira de entrar no prédio.

Finalmente, ele decidiu que ganhara aquela batalha particular. Assim, logo eu estava lidando com outro problema: ele começou a me seguir pela estrada principal.

Na primeira vez, ele veio até a estrada principal, mas retornou ao prédio quando o enxotei. Na vez seguinte, ele me seguiu por uma centena de metros ou mais pela estrada, em direção à Estrada Tottenham High, onde peguei o ônibus para Covent Garden.

Uma parte de mim admirou sua tenacidade e perseverança pura. Mas outra parte de mim o estava xingando. Eu simplesmente não conseguia me livrar dele.

Depois disso, a cada dia ele seguia até mais e mais longe, tornando--se cada vez mais ousado. Parte de mim se perguntava se um dia, depois que eu o deixasse, ele realmente continuaria andando e encontraria outro lugar para ir. Mas, a cada noite, quando eu chegava ao apartamento, lá estava ele — esperando. Eu sabia que alguma coisa tinha que acabar acontecendo, no entanto. E aconteceu.

Um dia, saí para o trabalho como de costume. Eu havia embalado minha guitarra acústica grande e preta com seu arremate vermelho na borda do corpo, atirando-a sobre o ombro junto a minha mochila, e me dirigido às escadas.

Vi que Bob estava sentado em um corredor e o cumprimentei. Quando ele começou a me seguir, eu o enxotei, como de costume.

— Fique aí, você não pode ir para onde estou indo — disse.

Dessa vez, ele pareceu entender a mensagem e escapuliu. Enquanto eu descia a estrada, olhava para trás, ocasionalmente, para ver se ele estava lá, mas não havia sinal dele. *Talvez ele finalmente tenha entendido o recado*, disse a mim mesmo.

Para chegar ao ponto de ônibus que me levaria até Covent Garden, tinha que atravessar a Estrada Tottenham High, uma das estradas mais movimentadas e mais perigosas no norte de Londres. Naquela manhã, como de costume, carros, caminhões e motos escavavam seu trajeto ao longo da estrada, tentando escolher o melhor caminho em meio ao tráfego obstruído.

Enquanto eu estava na calçada, tentando identificar uma brecha para que pudesse correr até o ônibus que estava despontando a mais ou menos cem metros do ponto na rua congestionada, senti alguém — ou algo — se esfregar contra minha perna. Instintivamente, olhei para baixo. Vi uma figura familiar em pé ao meu lado. Para meu horror, percebi que Bob estava passando pelo mesmo processo que eu, procurando uma oportunidade para atravessar.

— Que diabos você está fazendo aqui? — perguntei a ele.

Ele só olhou para mim com desdém, como se eu houvesse feito uma pergunta realmente estúpida. Em seguida, concentrou-se mais uma vez na estrada, encolhendo-se para mais perto da borda da calçada, como se estivesse se preparando para disparar.

Eu não podia deixá-lo correr aquele risco. Seria quase certamente suicídio. Então, eu o agarrei e o coloquei em meu ombro, onde sabia que ele gostava de se sentar. Ele sentou-se ali, aconchegando-se contra a lateral de minha cabeça, enquanto eu me esquivava e traçava meu caminho em meio ao tráfego e atravessava a estrada.

— Tá bom, Bob, já estamos longe o suficiente — disse a ele enquanto o colocava no chão e o enxotava novamente.

Ele se esgueirou pela rua em meio à multidão. *Talvez agora eu o tenha visto pela última vez*, pensei comigo mesmo. Ele realmente estava bem distante do apartamento agora.

Alguns momentos depois, o ônibus parou. Era um antigo ônibus vermelho de dois andares, no qual se podia entrar pela parte de trás. Fui sentar-me no banco, na parte de trás do ônibus, e estava colocando o estojo da guitarra no espaço de armazenamento próximo do banco do cobrador quando, atrás de mim, vi um súbito lampejo de pelagem alaranjada. Antes que eu percebesse, Bob saltou e se jogou no banco ao lado de onde eu estava, fazendo um bom barulho.

Fiquei chocado. Percebi — finalmente — que nunca me livraria daquele gato. Mas, então, percebi algo mais.

Convidei Bob a saltar em meu colo, o que ele fez em um piscar de olhos. Um momento ou dois depois, a cobradora apareceu. Era uma alegre senhora da Índia Ocidental, que sorriu para Bob e depois para mim.

— Ele é seu? — disse ela, acariciando-o.

— Acho que sim — respondi.

Capítulo 5

Centro das Atenções

Pelos 45 minutos que se seguiram, mais ou menos, Bob permaneceu calmamente sentado a meu lado, com a cara pressionada contra o vidro da janela do ônibus, vendo o mundo passar. Parecia estar fascinado com todos os carros, ciclistas, vans e pedestres que passavam zunindo por nós, e não se intimidou com nada.

Os únicos momentos em que se afastava da janela e olhava para mim, buscando um pouco de tranquilidade, eram quando o barulho de uma sirene de polícia, de um carro de bombeiros ou de uma ambulância se tornava desconfortavelmente próximo. Isso me surpreendeu um pouco, e mais uma vez me fez pensar sobre onde ele passara a infância. Se ele houvesse crescido nas ruas, teria se acostumado àquele ruído havia muito, muito tempo.

— Não há com o que se preocupar — disse a ele, fazendo um afago amigável em sua nuca. — O centro de Londres é assim, Bob. Melhor se acostumar com isso.

Era estranho. Embora soubesse que ele era um gato de rua e poderia fugir a qualquer momento, tinha uma sensação profunda de que ele entrara em minha vida para ficar. De alguma forma, senti que não seria a última vez que faríamos aquela viagem juntos.

Eu desceria em minha parada de ônibus de costume, próxima da estação de metrô da Estrada Tottenham Court. Quando ela surgiu à vista, peguei minha guitarra, abracei Bob e me dirigi para a saída. Na calçada, procurei no bolso do casaco e encontrei a coleira improvisada feita de cadarço que eu havia posto ali depois de levá-lo para fazer suas necessidades na noite anterior.

Coloquei-a em torno de seu pescoço e depois o coloquei no chão. Não queria que ele saísse vagando. A junção da Tottenham Court com a Rua New Oxford estava tomada por compradores, turistas e londrinos comuns seguindo com seu dia. Ele teria se perdido em um segundo — ou, pior ainda, seria esmagado por um dos ônibus ou dos táxis pretos que passavam voando pela Rua Oxford.

Compreensivelmente, tudo era um tanto intimidante para Bob. Era um território desconhecido para ele — bem, eu achava que era. Não podia ter certeza, é claro. Enquanto prosseguíamos, observando sua linguagem corporal levemente tensa e a maneira como ficava me olhando, compreendi que ele estava se sentindo desconfortável. Por isso, decidi tomar um de meus atalhos costumeiros pelas ruas secundárias para alcançar Covent Garden.

— Vem, Bob, vamos tirar você desta multidão — disse.

Mesmo assim, ele não ficou completamente feliz. Abrindo nosso caminho em meio à multidão, ele continuava a me olhar como se quisesse me dizer que não estava muito seguro daquilo. Depois de apenas alguns metros, percebi que ele queria que eu o pegasse.

— Tudo bem, mas não faça disso um hábito — eu disse, recolhendo-o e colocando-o em meus ombros, assim como havia feito para cruzar a Estrada Tottenham High. Ele logo se instalou de forma confortável sobre meu ombro direito, com as patas dianteiras colocadas no alto de meu braço, parecendo-se com o ocupante da gávea de algum navio pirata. Não pude deixar de sorrir por dentro. Eu devia estar parecendo um pouco com Long John Silver[4], só que tinha um gato em vez de um papagaio viajando comigo.

Ele certamente parecia estar muito confortável ali. Podia senti-lo ronronando levemente enquanto caminhávamos em meio à multidão, atravessando a Rua New Oxford e as ruas menores que levavam a Covent Garden.

A multidão foi diminuindo e, depois de um tempo, esqueci-me de que Bob estava ali. Por outro lado, comecei a mergulhar nos pensamentos habituais que passavam por minha mente no caminho para o trabalho. O tempo estaria bom o suficiente para eu me apresentar por cerca de cinco horas? Resposta: provavelmente. Estava nublado, mas as nuvens eram brancas e estavam altas no céu. Não havia muita chance de chuva. Que tipo de multidão haveria em Covent Garden? Bem, a Páscoa estava chegando, portanto haveria uma grande quantidade de turistas. Quanto tempo levaria para eu conseguir as 20 ou 30 libras de que precisava para me sustentar — e, agora, também Bob — pelos próximos dias? Bem, isso havia me custado quase cinco horas no dia anterior. Talvez fosse melhor hoje, talvez não. Era assim que acontecia com apresentações de rua: a gente nunca sabia.

Ainda estava pensando em todas essas coisas quando, de repente, tornei-me consciente de algo.

Normalmente, ninguém sequer falava ou trocava um olhar comigo. Eu era um tipo de pedinte, e aquela era Londres. Eu não existia. Era uma pessoa a ser evitada, repudiada até. Mas, enquanto andava pela Rua Neal naquela tarde, quase todas as pessoas pelas quais passamos estavam olhando para mim. Bem, mais precisamente, estavam olhando para Bob.

---

[4] Personagem do livro *A Ilha do Tesouro*, de Robert L. Stevenson, que popularizou a figura do pirata com um papagaio no ombro. (N. P.)

Uma ou duas pareciam perplexas e um pouco confusas, o que era compreensível, creio. A cena deveria ser um pouco incongruente: um sujeito alto e de cabelos compridos andando com um grande gato laranja sobre os ombros. Não é algo que se vê todos os dias — mesmo nas ruas de Londres.

A maioria das pessoas, no entanto, estava reagindo mais calorosamente. No momento em que viam Bob, seus rostos se desmanchavam em sorrisos largos. Não demorou muito para que as pessoas passassem a nos parar.

— Ah, olha só você dois — disse uma senhora de meia-idade, bem vestida e carregada com sacolas de compras. — Ele é lindo. Posso fazer carinho nele?

— Claro — disse, pensando que seria um evento único.

Ela baixou as sacolas e levantou o rosto para ele.

— Que bichinho lindo é você, né? — brincou. — É um menino, não?

— É, sim — respondi.

— Ele não é um doce, sentado assim nos seus ombros? Não se vê isso com frequência. Ele deve confiar mesmo em você.

Eu mal disse adeus para a senhora quando fomos abordados por duas garotas. Elas viram a senhora fazendo festa com Bob, e creio que foi por isso que pensaram em fazer o mesmo. Revelaram ser adolescentes suecas em férias.

— Qual é o nome dele? Podemos tirar uma foto dele? — perguntaram, sacando suas câmeras no instante em que assenti.

— O nome dele é Bob — eu disse.

— Ah, Bob. Legal.

Conversamos por um minuto ou dois. Uma delas tinha um gato e me mostrou uma foto dele. Tive que, educadamente, pedir licença depois de alguns minutos, caso contrário elas teriam passado horas babando nele.

Continuamos rumo ao final da Rua Neal, na direção de Long Acre. Mas o avanço era lento. Nem bem o mais recente admirador se distanciava e a mesma coisa acontecia de novo — e de novo. Mal dava três passos sem ser parado por alguém que queria falar com Bob ou acariciá-lo.

A novidade logo passou. Naquele ritmo, não chegaria a lugar algum, comecei a perceber. Normalmente, não levava muito mais que dez minutos para ir da parada de ônibus ao meu local de apresentação em Covent Garden. Mas já havia me custado o dobro disso, porque todo mundo parecia querer parar e conversar com Bob. Era um pouco ridículo.

Chegamos a Covent Garden quase uma hora depois do horário em que eu normalmente chegava.

Muito obrigado, Bob, você provavelmente me custou algumas libras, ouvi-me dizer em pensamento, meio de brincadeira.

Aquilo era um problema sério, entretanto. *Se ele fosse me atrasar tanto assim a cada dia, realmente não podia deixar que ele me seguisse até o ônibus novamente*, pensei.

Não demorei muito para começar a pensar diferente.

Nessa época, vinha fazendo apresentações de rua em Covent Garden havia aproximadamente um ano e meio. Geralmente, começava por volta das duas ou três horas da tarde e continuava até por volta das oito horas da noite. Era o melhor momento para atrair turistas e pessoas terminando suas compras ou a caminho de casa após o trabalho. Nos finais de semana, eu ia mais cedo e me apresentava no horário do almoço. Às quintas, sextas e sábados, continuava até bem tarde, tentando tirar vantagem do número extra de londrinos que circulavam por ali no final da semana de trabalho.

Aprendi a ser flexível na busca de audiência. Meu principal ponto de apresentação era um trecho da calçada em frente à estação de metrô de Covent Garden, na Rua James. Trabalhava até por volta das 6h30 da tarde, quando a hora do rush da noite estava em seu auge. Então, pelas últimas duas horas, eu circulava por todos os bares de Covent Garden, onde as pessoas ficavam do lado de fora fumando e bebendo. Nos meses de verão, isso podia ser bastante produtivo, com trabalhadores de escritório relaxando depois de seu dia de trabalho com uma cerveja e um cigarro na noite ainda iluminada pelo sol.

Às vezes, podia ser um pouco arriscado. Algumas pessoas se queixavam por eu me aproximar delas e podiam ser rudes e até mesmo agressivas. "Cai fora, seu batedor de carteiras." "Arranja um emprego de verdade, seu preguiçoso do c***." Esse tipo de coisa. Mas isso vinha com o território. Eu estava acostumado. Havia muitas pessoas que ficavam felizes em me ouvir tocar uma música, então me estendiam uma libra.

Fazer apresentações na Rua James também era um tanto arriscado. Tecnicamente falando, eu não deveria estar lá.

A área de Covent Garden é dividida em áreas internas muito específicas quando se trata de pessoas de rua. Elas são reguladas por funcionários do conselho local, um bando intrometido a quem nós nos referíamos como os Guardiões de Covent.

Meu ponto de apresentação deveria ser no lado oriental de Covent Garden, perto da Royal Opera House e da Rua Bow. Era ali que os músicos deveriam atuar, de acordo com os Guardiões de Covent. O outro lado da praça, o lado ocidental, era onde os artistas de rua deveriam fazer seu comércio. Os malabaristas e os animadores em geral se apresentavam sob a sacada do pub Punch e Judy, onde geralmente encontravam um público barulhento disposto a observá-los.

A Rua James, onde eu havia começado a tocar, deveria ser o domínio das estátuas vivas. Havia algumas delas por ali. Um cara vestido de Charlie Chaplin costumava atuar muito bem, mas só trabalhava de vez em quando. Mas a rua estava normalmente vazia, por isso aproveitei e organizei meu próprio ponto de apresentação. Sabia que sempre havia o risco de ser removido pelos Guardiões de Covent, mas fazia minhas apostas e, geralmente, vencia. O volume de pessoas que saía da estação de metrô localizada ali era enorme. Se apenas uma em cada mil me jogasse uma moedinha, já estaria bem.

Foi somente depois das 15 horas que consegui alcançar meu ponto de apresentação — finalmente. Assim que entramos na Rua James, fomos parados pela enésima vez, nessa ocasião por um cara obviamente gay, indo da academia para casa, a julgar pelo conjunto suado que estava usando.

Ele fez o maior estardalhaço com Bob e até me perguntou — creio que de brincadeira — se podia comprá-lo de mim.

— Não, companheiro, ele não está à venda — respondi educadamente, apenas no caso de ele estar falando sério. Fugindo do cara, olhei para Bob e balancei a cabeça. — Só em Londres, companheiro, só em Londres.

Chegando ao local, verifiquei primeiro se o caminho estava livre. Não havia sinal dos Guardiões de Covent. Havia também duas pessoas que trabalhavam na estação de metrô que, algumas vezes, me causavam problemas, pois sabiam que eu não deveria estar ali. Mas elas também não pareciam estar na região. Então, coloquei Bob na calçada, perto da parede, abri o estojo da guitarra, tirei o casaco e me preparei para começar a tocar.

Normalmente, levaria uns bons dez minutos para afinar o instrumento, começar a tocar e fazer as pessoas prestarem um pouco de atenção em mim. Naquele dia, porém, algumas pessoas reduziram o ritmo diante de mim e arremessaram moedas de pequeno valor no estojo da guitarra antes mesmo que eu houvesse tocado uma nota. *Que generosidade da parte deles*, pensei.

Foi quando me distraí, ajustando minha guitarra, que a ficha caiu!

Estava de costas para a multidão quando, novamente, ouvi o tilintar distintivo de uma moeda batendo em outra. Atrás de mim, escutei uma voz masculina.

— Belo gato, companheiro — disse ele.

Eu me virei e vi um cara de aparência comum, de 20 e poucos anos, fazendo sinal de positivo para mim e andando com um sorriso no rosto.

Fiquei surpreso. Bob havia se enrolado confortavelmente em uma bola no meio do estojo vazio da guitarra. Eu sabia que ele era um sedutor. Mas isso era outra coisa.

Aprendi sozinho a tocar guitarra quando era adolescente, quando voltei a viver na Austrália. As pessoas me mostravam as coisas e depois investia nelas por mim mesmo. Consegui minha primeira guitarra quando tinha 15 ou 16 anos. Era muito tarde para começar a tocar profissionalmente, eu suponho. Comprei uma velha guitarra elétrica numa loja de artigos usados em Melbourne. Sempre toquei com as guitarras acústicas de meus amigos, mas sonhava com uma elétrica. Amava Jimi Hendrix, achava-o fantástico e queria tocar como ele.

A seleção de músicas que escolhi para minha apresentação de rua trazia algumas que gostava de tocar havia anos. Kurt Cobain foi sempre uma espécie de herói para mim, por isso havia algumas do Nirvana. Mas também tocava algumas de Bob Dylan e um pouco de Johnny Cash. Uma das canções mais populares que toquei foi *Hurt*, originalmente do Nine Inch Nails, mas então regravada por Johnny Cash. Era mais fácil tocar essa versão porque era uma peça acústica. Também tocava *The Man in Black*, de Johnny Cash. Ela era uma boa canção para uma apresentação de rua — e era meio que adequada também, pois eu geralmente usava preto. A música mais popular em minha seleção era *Wonderwall*, do Oasis. Ela sempre funcionava otimamente, em especial do lado de fora dos bares, quando vagava por eles mais tarde, à noite.

Eu tocava praticamente a mesma coisa de novo e de novo, todo dia. Era do que as pessoas gostavam. Era o que os turistas queriam ouvir. Eu geralmente começava com uma canção como *About a Girl*, do Nirvana, apenas para fazer os dedos começarem a trabalhar. Foi o que fiz naquele dia, enquanto Bob permanecia sentado diante de mim, vendo as multidões saírem da estação de metrô.

Eu mal havia tocado por mais que alguns minutos quando um grupo de garotos parou. Eles eram, obviamente, do Brasil e estavam todos vestindo camisas de futebol brasileiro e falando no que eu reconheci como português. Um deles, uma garota, abaixou-se e começou a acariciar Bob.

— Ah, que gato bonito — disse ela.

— Ela está dizendo que você tem um gato bonito — disse um dos garotos, traduzindo prestativamente o que ela dissera.

Eram apenas jovens em uma viagem a Londres, mas ficaram fascinados. Quase que imediatamente, outras pessoas pararam para ver a razão daquele alarido. Uma meia dúzia dos jovens brasileiros e outros transeuntes começaram a buscar algo em seus bolsos — e começaram a chover moedas no estojo.

— Talvez você não seja um mau companheiro, afinal, Bob. Vou convidá-lo a sair com mais frequência — sorri para ele.

Não havia planejado levá-lo comigo, por isso não tinha muito para lhe dar. Havia um pacote meio vazio de seu biscoito para gatos favorito em minha mochila, então lhe dava um deles de tempos em tempos. Como eu, ele teria que esperar até mais tarde para conseguir uma refeição decente.

À medida que o final da tarde se transformou no início da noite e as multidões engrossaram, com os transeuntes indo do trabalho para casa ou saindo para a Zona Oeste para aproveitar a noite, mais e mais pessoas estavam desacelerando e olhando para Bob. Claramente, havia algo nele que as fascinava.

Enquanto a escuridão começava a descer, uma senhora de meia--idade parou para conversar.

— Há quanto tempo você o tem? — perguntou ela, inclinando-se para acariciar Bob.

— Oh, só algumas semanas — disse eu. — Nós meio que nos encontramos.

— Encontraram um ao outro? Parece interessante.

No começo, fiquei um pouco desconfiado. Eu me perguntei se ela era algum tipo de pessoa do bem-estar animal e se me diria que eu não tinha o direito de ficar com ele ou algo assim.

Mas ela revelou ser, simplesmente, uma verdadeira amante de gatos. Sorriu quando lhe expliquei a história de como nos conhecemos e de como passei uma quinzena cuidando dele para que voltasse a ser saudável.

— Eu tive um laranjinha muito parecido com ele há alguns anos — disse ela, parecendo um pouco emocionada. Por um momento, pensei que fosse explodir em lágrimas. — Você tem sorte por havê-lo encontrado. Eles são simplesmente os melhores companheiros, são muito tranquilos e dóceis. Você arranjou um amigo de verdade — disse ela.

— Acho que a senhora está certa. — Sorri.

Ela colocou uma nota de cinco libras no estojo da guitarra antes de sair.

Definitivamente, ele era um ímã para as mulheres, percebi. Estimei que cerca de 70% das pessoas que haviam parado até aquele momento eram do sexo feminino.

Depois de pouco mais de uma hora, havia recebido tanto quanto eu normalmente recebia em um dia bom — pouco mais de 25 libras.

Isso é ótimo, pensei comigo mesmo.

Mas algo dentro de mim dizia que eu não deveria encerrar, que deveria continuar à noite.

A verdade é que eu ainda estava dividido sobre ele. Apesar de meu profundo sentimento de que aquele gato e eu, de alguma forma, estávamos destinados a ficar juntos, uma grande parte de mim ainda pensava que, ao final de tudo, ele partiria e trilharia seu próprio caminho. Era uma questão de lógica. Ele vagara para dentro de minha vida e, em algum ponto, vagaria para fora dela. Aquilo não podia continuar. Por isso, enquanto os transeuntes continuavam a desacelerar e a mexer com ele, percebi que poderia muito bem aproveitar o máximo daquilo. Aproveitar enquanto era dia e todos aqueles ditados semelhantes.

— Se ele quer sair e se divertir comigo, está ótimo — disse para mim mesmo. — E, além disso, estou fazendo um pouco de dinheiro, o que também é ótimo.

Exceto que, naquele momento, era mais do que apenas um pouco de dinheiro.

Eu estava acostumado a conseguir em torno de 20 libras por dia, o que era suficiente para me sustentar por alguns dias e cobrir todas as despesas com o apartamento. Mas, naquela noite, quando terminei, por volta das 20 horas, estava claro que havia conseguido muito mais do que isso.

Depois de guardar a guitarra, precisei de cinco minutos para contar todas as moedas que haviam se acumulado. Havia o que parecia ser *centenas* de moedas de todos os valores, bem como algumas notas espalhadas entre elas.

Quando finalmente contabilizei tudo, balancei a cabeça em silêncio. Eu havia conseguido a soma de 63,77 libras. Para a maioria das pessoas que andavam por Covent Garden, tal quantia poderia não ser um monte de dinheiro. Mas, para mim, era.

Transferi todas as moedas para minha mochila e puxei-a sobre os ombros. Ela fazia o mesmo barulho de um cofrinho gigante. Também pesava uma tonelada! Mas eu estava em êxtase. Fora o máximo que eu conseguira em um dia de trabalho nas ruas, três vezes o que costumava ganhar em um dia normal.

Peguei Bob, acariciando-o na parte de trás do pescoço.

— Muito bem, companheiro — disse. — Isso é o que chamo de uma boa tarde de trabalho.

Decidi que não precisava passear pelos pubs. Além disso, sabia que Bob estava faminto — assim como eu. Precisávamos ir para casa.

Voltei para a parada de ônibus na Estrada Tottenham Court com Bob, mais uma vez, posicionado em meu ombro. Não fui rude com ninguém, mas decidi não falar com cada um que parava e sorria para nós. Eu não podia. Havia muitos deles. Eu queria chegar ao apartamento antes da meia-noite.

— Vamos ter algo de bom para comer esta noite, Bob — disse enquanto nos acomodávamos no ônibus para a viagem de volta para Tottenham. Mais uma vez, ele colou o nariz na janela, observando as luzes brilhantes e o tráfego.

Desci do ônibus perto de um restaurante indiano muito bom na Estrada Tottenham High. Passara muitas vezes por ele, saboreando o extenso cardápio, mas nunca tivera dinheiro sobrando para ser capaz de bancar qualquer coisa. Eu sempre precisara me contentar com alguma coisa de um lugar mais barato próximo ao prédio.

Entrei e pedi um *chicken tikka masala* com arroz de limão, um *peshwari naan* e um *sag paneer*[5]. Os garçons me lançaram alguns olhares divertidos quando viram Bob na guia a meu lado. Então, disse que

[5] Respectivamente, um prato de frango picado com tempero picante, arroz com raspas de limão, pão indiano doce e um tipo de ensopado com cubos de queijo *paneer*, espinafre e curry. (N. P.)

voltaria em torno de 20 minutos e parti com Bob para um supermercado do outro lado da rua.

Com o dinheiro que havíamos conseguido, comprei para ele um grande saco de uma boa comida para gatos, duas caixas de seus petiscos favoritos e um pouco de leite próprio para gato. Também comprei para mim duas latas de uma boa cerveja.

— Vamos zarpar, Bob — disse a ele. — Este foi um dia para recordar.

Depois de pegar nosso jantar, quase corri para casa, pois estava me sentindo dominado pelo cheiro tentador que saía do saco de papel marrom do restaurante elegante. Quando entramos, Bob e eu devoramos a comida como se não houvesse amanhã. Eu não comia tão bem havia meses — bem, talvez anos. Tenho certeza de que ele também não.

Depois disso, nós nos enrolamos por algumas horas, eu assistindo à televisão e ele aconchegado em seu ponto favorito sob o aquecedor. Nós dois dormimos feito pedra naquela noite.

Capítulo 6

Um Homem e seu Gato

Na manhã seguinte, fui acordado por um som de batida alto e súbito. Levei um momento para me orientar, mas, quando consegui, adivinhei imediatamente o que era. O barulho de algo metálico batendo tinha vindo da cozinha, o que, provavelmente, significava que mais uma vez Bob estava tentando abrir os armários onde eu guardava a comida e havia derrubado alguma coisa.

Olhei para o relógio. A manhã já estava avançada. Depois da emoção da noite anterior, havia me permitido repousar, mas Bob, obviamente, decidira que não podia esperar mais. Aquela era sua maneira de dizer: "Levanta, eu quero meu café da manhã".

Arrastei-me para fora da cama e entrei tropeçando na cozinha. A caçarola que eu usava para ferver leite estava caída no chão.

Assim que me viu, Bob deslizou propositadamente em direção a sua tigela.

— Ok, companheiro, captei a ideia — disse, abrindo os armários e pegando um sachê de sua ração de frango favorita. Coloquei uma porção na tigela e o observei devorar tudo em segundos. Ele, então, bebeu água de outra tigela, limpou o rosto e as patas, lambendo-os, e correu para a sala, onde, parecendo muito satisfeito consigo mesmo, tomou sua posição preferida sob o aquecedor.

Se ao menos nossas vidas fossem tão simples, pensei comigo mesmo.

Eu havia considerado não ir trabalhar, mas depois pensei melhor. Podíamos ter tido um golpe de sorte na noite passada, mas o dinheiro não nos manteria por muito tempo. As contas de energia elétrica e de gás venceriam em breve. Pelo tempo frio que tivéramos nos últimos meses, as faturas não seriam uma leitura agradável. Também começou a desenvolver-se em mim a noção de que tinha uma nova responsabilidade na vida. Tinha uma boca a mais para alimentar — uma boca faminta e manipuladora.

Então, depois de tomar meu próprio café da manhã, comecei a reunir minhas coisas.

Não tinha certeza se Bob gostaria de sair para se apresentar comigo naquele dia novamente. O dia anterior poderia ter sido um caso isolado; ele poderia estar simplesmente satisfazendo sua curiosidade sobre aonde eu ia quando saía de casa na maioria dos dias. Mas coloquei alguns lanches para ele na mochila, apenas para o caso de ele decidir me seguir novamente.

A tarde havia chegado quando saí do apartamento. Era óbvio o que eu estava fazendo; trazia a mochila e a guitarra nas costas. Se ele não quisesse sair do apartamento comigo, o que era raro, geralmente me avisava esgueirando-se para trás do sofá. Por um momento, pensei que seria isso que ele faria então. Quando tirei a corrente da porta da frente, ele foi na direção do sofá. Mas, então, quando estava prestes a fechar a porta atrás de mim, ele se espremeu junto a mim e me seguiu para o corredor e a escada.

Quando chegamos ao térreo e fomos para a rua, ele saiu correndo para o mato, para fazer suas necessidades. Depois, em vez de se dirigir a mim, correu para a área em que as lixeiras ficavam.

As lixeiras estavam se tornando cada vez mais fascinantes para ele. Só Deus sabia o que ele estava achando — e comendo — por lá. Pensei que aquela poderia ser a única razão pela qual ele quisera vir comigo. Não estava muito feliz com ele fuçando o lixo, por isso fui verificar o que havia ali. Nunca se sabia quando viria o caminhão do lixo. Felizmente, devia ter havido uma coleta naquela manhã, porque havia lixo disperso por ali. Havia poucos restos, Bob não teria muito com que se alegrar. Tranquilizado, decidi ir sem ele. Sabia que ele voltaria para dentro do prédio de alguma forma, especialmente agora que muitos dos vizinhos o conheciam. Um ou dois haviam começado a fazer uma verdadeira festa sempre que o viam. Uma senhora que morava no andar abaixo do meu sempre lhe dava uma guloseima.

Ele provavelmente estaria esperando por mim nas escadas quando eu voltasse para casa naquela noite.

É justo, pensei enquanto partia para a Estrada Tottenham High. Bob me fizera um favor enorme no dia anterior. Não pretendia explorar nosso relacionamento exigindo que ele fosse comigo todos os dias. Ele era meu companheiro, não meu empregado!

O céu estava cinzento e havia indícios de chuva no ar. Se estivesse assim no centro de Londres, seria um desperdício de tempo. Apresentação de rua em dia chuvoso nunca foi uma boa ideia. Em vez de sentir simpatia por você, as pessoas simplesmente se apressavam um pouco mais. Se estivesse chovendo no centro da cidade, disse a mim mesmo, simplesmente viraria e voltaria para casa. Preferiria passar o dia com Bob. Queria usar o dinheiro que havia obtido na noite anterior para conseguir uma correia e uma coleira decente para ele.

Havia andado cerca de duzentos metros, mais ou menos, quando percebi alguém atrás de mim. Voltei-me e vi uma figura familiar caminhando pela calçada.

— Ah, então alguém mudou de ideia? — disse enquanto ele se aproximava.

Bob inclinou a cabeça levemente para um lado e lançou-me um daqueles olhares piedosos, como se dissesse: "Bom, por que outro motivo eu estaria aqui?". Eu ainda tinha a correia de cadarço no bolso. Coloquei-a nele e voltamos a caminhar juntos.

As ruas de Tottenham são muito diferentes das de Covent Garden, mas, assim como no dia anterior, as pessoas imediatamente começaram a olhar para nós. E, assim como no dia anterior, uma ou duas me olharam com desaprovação. Elas claramente pensaram que eu fosse louco, levando um gato laranja para passear com um pedaço de cadarço.

— Se isso vai se tornar uma coisa rotineira, realmente tenho que arrumar uma correia adequada para você — disse calmamente a Bob, sentindo-me, de repente, um pouco incomodado.

Mas, para cada pessoa que me lançava um olhar reprovador, outras seis sorriam e acenavam para mim. Uma senhora da Índia Ocidental, sobrecarregada com sacolas de compras, deu-nos um grande e luminoso sorriso.

— Você dois formam uma imagem bonita — disse ela.

Ninguém havia conversado comigo nas ruas próximas a meu apartamento em todos os meses em que eu vivera ali. Era estranho, mas também incrível. Era como se minha capa de invisibilidade de Harry Potter houvesse deslizado de meus ombros.

Quando chegamos ao ponto de cruzamento na Estrada Tottenham High, Bob fitou-me como se dissesse: "Vamos lá, você sabe o que fazer agora" — e eu o coloquei sobre meus ombros.

Logo estávamos no ônibus, com Bob assumindo sua posição favorita, a cabeça pressionada contra o vidro. Nós estávamos na estrada novamente.

Eu estava certo sobre o tempo. Logo a chuva começou a cair, formando padrões intrincados na janela em que Bob, mais uma vez, pressionava a cara contra o vidro. Do lado de fora, podia-se ver apenas um mar de guarda-chuvas. Havia pessoas correndo, chapinhando pelas ruas para evitar o aguaceiro.

Felizmente, a chuva abrandou quando chegamos ao centro da cidade. Apesar do tempo, havia multidões ainda maiores lá do que houvera no dia anterior.

— Vamos tentar por algumas horas — disse a Bob enquanto o colocava nos ombros e me dirigia para Covent Garden. — Mas, se começar a chover de novo, vamos voltar, eu prometo.

Descendo a Rua Neal, mais uma vez, as pessoas nos paravam o tempo todo. Fiquei feliz em deixá-las brincar com Bob, seguindo o que era razoável. No espaço de dez minutos, meia dúzia de pessoas havia nos parado e pelo menos metade delas pedira para tirar uma foto.

Aprendi rapidamente que a chave era me manter em movimento. Caso contrário, estaria cercado antes que me desse conta.

Foi quando estávamos chegando ao final da Rua Neal, perto de onde eu virava para a Rua James, que algo interessante aconteceu.

De repente, senti as patas de Bob equilibrando-se em meu ombro. Antes que eu percebesse, ele estava escorregando por meu ombro e descendo por meu braço. Quando o deixei saltar para a calçada, ele começou a andar na minha frente. Deixei a correia em seu comprimento máximo e permiti que ele avançasse. Era óbvio que ele havia reconhecido onde estávamos e se dirigia para lá. Ele estava liderando o percurso.

Marchou diante de mim por todo o caminho até o local de apresentação onde estivéramos na noite anterior. Ele, então, permaneceu ali, esperando que eu tirasse a guitarra e colocasse o estojo no chão para ele.

— Tudo pronto, Bob — disse eu. Ele imediatamente se sentou no estojo como se pertencesse àquele lugar. Posicionou-se de modo a poder ver o mundo passando — o que, no caso de Covent Garden, era mais que uma metáfora.

Houve um tempo em que tive a ambição de me tornar um verdadeiro músico. Eu acalentava o sonho de me tornar o próximo Kurt Cobain. Embora agora possa parecer algo ingênuo e completamente estúpido, isso havia sido parte de meu grande plano quando vim da Austrália para a Inglaterra.

Foi o que eu disse a minha mãe e a todo mundo quando parti.

Tive meus momentos e, por um breve período, senti que poderia realmente chegar a algum lugar.

Foi difícil por um tempo, mas as coisas mudaram por volta de 2002, quando saí das ruas e fui viver em algumas moradias subvencionadas em Dalston. Uma coisa levou a outra e formei uma banda com uns caras que conheci. Nós éramos um quarteto de guitarras chamado Hyper Fury, ou hiperfúria, o que dizia muito sobre meu estado de espírito e o de meus companheiros de banda naquele momento. O nome certamente me definia. Eu era um jovem raivoso. Estava realmente hiperfurioso — com a vida em geral e o sentimento de que não havia recebido nenhuma oportunidade. Minha música era uma vazão para minha raiva e minha angústia.

Por essa razão, não tocávamos muito no modelo popular. Nossas músicas eram nervosas e sombrias, e nossas letras eram mais ainda, o que não surpreendia, creio, já que nossas influências foram bandas como Nine Inch Nails e Nirvana.

Na verdade, conseguimos lançar dois álbuns, embora EPs possa ser uma descrição mais precisa. O primeiro saiu em setembro de 2003 com outra banda, a Corrision. Chamou-se *Corrision v Hyper Fury* e contou com duas belas faixas pesadas, chamadas "Onslaught" (Ataque Violento) e "Retaliator" (Retaliador). Mais uma vez, os títulos oferecem uma forte indicação de nossa filosofia musical. Depois desse EP, lançamos um segundo álbum, seis meses mais tarde, em março de 2004, chamado *Profound Destruction Unit*, ou unidade de destruição massiva, que contou com três músicas, "Sorry" (Lamento), "Profound" (Profundo) e outra versão de "Retaliator". Ele vendeu alguns exemplares, mas realmente não pôs fogo no mundo. Vamos colocar desta maneira: não conseguimos ser convidados para o Festival de Glastonbury.

Tivemos alguns fãs, no entanto, e conseguimos fazer alguns shows, principalmente no norte de Londres e em lugares como Camden, em particular. Havia meio que uma grande cena gótica ali e nós nos encaixávamos muito bem nela. Tínhamos a aparência e o som certos para fazer parte dela. Fizemos shows em pubs, tocamos em *raves* — basicamente, tocamos onde fomos convidados. Houve um momento em que poderíamos ter começado a fazer progressos. O maior show que fizemos foi no The Dublin Castle, um famoso pub com música no norte de Londres, onde tocamos duas vezes. Em especial, tocamos no Festival de Verão Gótico, o que foi um grande negócio na época.

As coisas estavam indo tão bem para nós em dado momento que me uni a um cara chamado Pete, do Corrision, e começamos nossa própria gravadora independente, a Corrupt Drive Records.

Mas não deu muito certo, ou, para ser mais preciso, realmente não fiz com que desse certo.

Na época, minha melhor amiga, Belle, e eu estávamos no que seria um breve relacionamento amoroso. Acabamos nos tornando grandes amigos. Ela é uma pessoa muito carinhosa e cuidou de mim, mas, como namoro, aquilo estava meio que condenado desde o início. O problema era que ela também estava envolvida com drogas e era codependente. Isso realmente não me ajudou — ou a ela — enquanto lutávamos para nos livrar de nossos hábitos. Quando um de nós estava tentando ficar limpo, o outro estava usando, e vice-versa. Isso é viver em codependência o tempo todo.

Por isso, quebrar o ciclo foi algo muito difícil para mim.

Estava tentando quebrar o ciclo, mas, olhando para trás e sendo honesto, não diria que tentei com afinco. Creio que, em parte, realmente não sentia como se aquilo fosse se tornar realidade algum dia. Mentalmente, pelo menos, a banda era algo a que eu dava menos valor. Era muito fácil voltar aos velhos hábitos — literalmente.

Em 2005, havia aceitado que a banda era um hobby, não uma forma de ganhar a vida. Pete continuou com a gravadora e ainda a dirige, creio eu. Mas estava tão difícil lutar contra o vício que fiquei pelo caminho — de novo. Tornou-se mais uma daquelas segundas chances que deixei escapar por entre os dedos. Acho que nunca saberei o que poderia ter sido.

Mas nunca desisti da música. Mesmo quando a banda se separou e ficou claro que não chegaria a lugar algum profissionalmente, na maior parte dos dias passava horas tocando guitarra e improvisando músicas. Era uma grande válvula de escape para mim. Deus sabe onde eu teria parado sem ela. E as apresentações de rua, certamente, fizeram toda a diferença em minha vida nos últimos anos. Sem elas — e o dinheiro que geraram — eu tremia só em pensar no que acabaria fazendo para ganhar dinheiro. Realmente não suportava pensar nisso.

Naquela noite, quando me acomodei para tocar, os turistas estavam em peso nas ruas mais uma vez.

Foi uma repetição do dia anterior. No momento em que me sentei — ou, mais precisamente, no momento em que Bob se sentou —, pessoas que normalmente se apressavam ao passar por mim começaram a desacelerar e a interagir com ele.

Mais uma vez, eram as mulheres, mais do que os homens, que demonstravam maior interesse.

Pouco tempo depois que comecei a tocar, uma impassível agente de trânsito passou. Eu a vi olhar para Bob e percebi quando sua expressão se desfez em um sorriso caloroso.

— Ah, olha só para você — disse ela, parando e ajoelhando-se para acariciar Bob.

Ela mal olhou para mim e não jogou nada no estojo da guitarra. Mas tudo bem. Eu estava começando a amar o modo como Bob parecia ser capaz de iluminar o dia das pessoas. Ele era uma bela criatura, não havia dúvida. Mas não era apenas isso. Havia algo mais em Bob. Era sua personalidade que estava atraindo a atenção. As pessoas podiam sentir algo nele.

Eu mesmo podia sentir isso. Havia algo de especial nesse gato. Ele tinha uma relação incomum com as pessoas; bem, pelo menos, as que ele sabia estarem com as melhores intenções em relação a ele.

De vez em quando, eu o via se encolher um pouco quando via alguém de quem não gostava. Quando nos acomodamos, um rapaz do Oriente Médio, aparentando ser rico e descolado, passou de braço dado com uma loira muito atraente. Ela poderia facilmente ser modelo.

— Oh, veja. Que gato lindo — disse ela, parando de repente e puxando o braço do rapaz para desacelerá-lo. O rapaz, claramente, não pareceu se impressionar e balançou a mão com desdém, como se dissesse: “E daí?”.

No instante em que fez aquilo, a linguagem corporal de Bob mudou. Ele arqueou um pouco as costas e mudou de posição, de modo a ficar alguns centímetros mais próximo de mim. Foi algo sutil — mas, para mim, revelador.

Aquele rapaz fez o Bob se lembrar de alguém do passado?, pensei comigo mesmo enquanto o casal seguia em frente. *Será que ele já viu aquele olhar antes?*

Eu teria dado qualquer coisa para saber sua história e descobrir o que o levara até o corredor de meu prédio naquela noite. Mas isso era algo que nunca saberia. Seria sempre mera adivinhação.

Quando me sentei para tocar, estava muito mais relaxado do que 24 horas antes. Creio que ter Bob ali comigo no dia anterior havia me perturbado um pouco psicologicamente. Estava acostumado a ter que envolver e atrair as multidões sozinho. Era um trabalho árduo. Ganhar cada centavo era difícil. Com Bob fora diferente. No início, a maneira como ele havia arrastado a plateia até mim fora um pouco estranha. Eu também me sentira muito responsável por ele, com tantas pessoas ao redor. Covent Garden — como o restante de Londres — tem sua parcela de esquisitos. Estava com medo de que alguém simplesmente o agarrasse e fugisse com ele.

Mas nesse dia foi diferente. Nesse dia, senti que estávamos a salvo, como se pertencêssemos àquele lugar de alguma forma.

Quando comecei a cantar e as moedas começaram a tilintar no estojo no mesmo ritmo que no dia anterior, pensei comigo mesmo: *Estou gostando disso.*

Muito tempo já se havia passado desde que eu dissera isso.

Quando fomos para casa, três horas depois, minha mochila estava, mais uma vez, fazendo muito barulho pelas várias moedas. Nós havíamos recebido mais de 60 libras novamente.

Dessa vez, não as gastaria em um restaurante caro. Tinha objetivos mais práticos para o dinheiro.

No dia seguinte, o tempo estava ainda pior, com previsão de chuva realmente pesada à noite. Por isso, decidi passar algum tempo com Bob, em vez de tocar na rua. Se ele ia sair comigo regularmente, então precisava de um equipamento melhor para ele. Não podia andar com ele ligado a uma correia feita de cadarço. Além do mais, era desconfortável — para não mencionar perigoso.

Bob e eu tomamos um ônibus e partimos na direção de Archway. Sabia que a sucursal do norte de Londres do grupo de caridade Cats Protection, ou Proteção aos Gatos, ficava lá.

Bob pareceu notar imediatamente que esse não era o mesmo caminho que havíamos tomado nos dois dias anteriores. De vez em quando, ele se virava e olhava para mim, como se dissesse: "Então, onde você está me levando hoje?". Ele não estava ansioso, apenas curioso.

A loja da Cats Protection era um lugar elegante e moderno, com todos os tipos de equipamentos, brinquedos e livros sobre gatos. Havia uma grande quantidade de panfletos e folhetos gratuitos sobre todos os aspectos do cuidado com gatos — da colocação de microchips à toxoplasmose, de dicas de dieta a conselhos sobre castração. Peguei alguns para uma leitura futura.

Havia apenas duas pessoas trabalhando ali e o lugar estava tranquilo. Assim, elas não foram capazes de resistir a se aproximarem para uma conversa enquanto eu olhava ao redor, com Bob sentado em meu ombro.

— Ele é um mocinho muito bonito, não é? — perguntou uma senhora, acariciando Bob. Ele pôde perceber que estava em boas mãos, pois inclinava o corpo para ela enquanto ela alisava sua pelagem e arrulhava para ele.

Começamos, então, uma conversa sobre como Bob e eu nos conhecemos. Expliquei o que havia acontecido nos últimos dois dias. As duas mulheres sorriram e assentiram.

— Muitos gatos gostam de sair para uma caminhada com os donos — disse-me. — Eles gostam de ir para um parque ou fazer um curto passeio pela rua. Mas preciso dizer que o Bob é um pouco incomum, né?

— Ele é — disse a amiga. — Creio que você meio que achou um tesouro. Ele obviamente decidiu se apegar a você.

Foi bom ouvi-las confirmando o que, no fundo, eu já sabia. De tempos em tempos, sentia uma pequena pontada de dúvida de se eu deveria tentar com mais afinco colocá-lo de volta às ruas e se estava fazendo a coisa certa mantendo-o no apartamento comigo. As palavras delas me deram um novo ânimo.

O que eu não sabia, porém, era a melhor forma de cuidar de Bob caso ele se tornasse um companheiro constante nas ruas de Londres. Não era o mais seguro dos ambientes, para dizer o mínimo. Além do tráfego óbvio, havia todos os tipos de ameaças e perigos potenciais lá fora.

— A melhor coisa que você pode fazer é comprar um arreio peitoral como este — uma das senhoras disse, tirando de um gancho um belo peitoral azul de náilon, com coleira e guia combinando. Ela explicou os prós e contras do apetrecho: — Não é uma boa ideia simplesmente prender uma guia em uma coleira de gato. As piores coleiras podem prejudicar o pescoço do seu gato e até mesmo o sufocar. E o problema com as coleiras de melhor qualidade é que elas são feitas de elástico, ou são o que eles chamam de "coleiras abre fácil", de modo que o gato possa escapar se a coleira se prender em alguma coisa. Há uma boa chance de que, em algum momento, você fique com uma coleira vazia balançando na mão — a senhora explicou. — Creio que você poderia sair com mais confiança com um peitoral para gato e uma guia, especialmente levando em conta que você fica na rua o tempo todo — disse ela.

— Isso não vai ser esquisito para ele? — perguntei. — Não parece natural.

— Você vai precisar acostumá-lo com o peitoral — ela concordou. — Pode levar uma semana ou algo assim. Comece habituando-o alguns minutos por dia antes que esteja pronto para sair com ele. Depois, desenvolva a partir daí. — Ela pôde ver que eu estava ponderando sobre aquilo. — Por que não experimenta o peitoral nele?

— Por que não? — respondi.

Bob estava sentado confortavelmente e não ofereceu muita resistência, embora pudesse afirmar que ele estava incerto sobre o que estava acontecendo.

— Basta deixá-lo vestido e permitir que ele se acostume com a sensação de tê-lo no corpo — disse a senhora.

O peitoral, a guia e a coleira custaram em torno de 13 libras. Era um dos mais caros que havia, mas entendi que ele merecia.

Se eu fosse um homem de negócios, o executivo-chefe da James & Bob Inc., pensaria que é preciso cuidar de seus funcionários, que é necessário investir em recursos humanos — só que, nesse caso, era meu recurso felino.

Foram necessários apenas dois dias para acostumar Bob com o peitoral. Comecei apenas o deixando usá-lo em casa, às vezes com a guia conectada. No começo, ele ficou um pouco confuso em ter aquela cauda extralonga de couro arrastando atrás de si. Mas logo se acostumou. Toda vez que ele o usava, tinha o cuidado de elogiá-lo por isso. Sabia que a pior coisa que poderia fazer era gritar com ele; não que já houvesse feito isso, de qualquer maneira.

Depois de dois dias, progredimos para caminhadas curtas com o peitoral. Quando saíamos para apresentações de rua, eu o prendia à velha coleira na maior parte do tempo, mas, então, passei a colocar o peitoral por um pequeno trecho da caminhada para o trabalho. Lenta, mas seguramente, o peitoral se tornou uma segunda natureza para ele.

Bob ainda estava vindo comigo todos os dias.

Não ficávamos fora por muito tempo. Não queria infligir tudo aquilo a ele. Embora já tivesse a sensação de que ele me seguiria até os confins da terra, e mesmo que ele estivesse sempre sentado em meus ombros e não precisasse andar, não faria isso com ele.

Foi durante nossa terceira semana de apresentação juntos que ele decidiu pela primeira vez que não queria se juntar a mim. Normalmente, no minuto em que me via colocar o casaco e arrumar a mochila, ele começava a se mover em minha direção, pronto para vestir o peitoral. Mas então, um dia, enquanto eu seguia com a rotina, ele simplesmente se arrastou para trás do sofá por um tempo e depois se acomodou sob o aquecedor. Era como se dissesse: "Vou tirar um dia de folga".

Notei que ele estava cansado.

— Não está a fim hoje, Bob? — indaguei, acariciando-o.

Ele me olhou daquele jeito sábio dele.

— Não tem problema — eu disse, indo para a cozinha a fim de colocar alguns lanches em uma tigela para mantê-lo alimentado pelo restante do dia, até que eu voltasse para casa naquela noite.

Certa vez, li uma reportagem que dizia que deixar a TV ligada fazia com que os animais de estimação se sentissem menos sozinhos quando seus donos estavam fora. Não sabia se isso era verdade, mas liguei o televisor, por via das dúvidas. Ele imediatamente se arrastou em direção a seu local favorito e começou a olhar para a tela.

Sair naquele dia realmente me conscientizou da diferença que Bob havia causado em minha vida. Com ele em meu ombro ou caminhando diante de mim, eu fizera com que muitas cabeças se virassem para olhar em todos os lugares. Sozinho, eu era invisível novamente. Naquela época, já éramos conhecidos o suficiente pelos habitantes locais para que algumas pessoas expressassem preocupação.

— Onde está o gato hoje? — o proprietário de uma barraca local questionou quando passou por mim naquela noite.

— Ele está tirando um dia de folga — respondi.

— Ah, bom. Fiquei preocupado que algo houvesse acontecido com o bichinho — ele sorriu, fazendo o sinal de positivo.

Outras duas pessoas pararam e fizeram a mesma pergunta. Tão logo lhes disse que Bob estava bem, prosseguiram. Ninguém estava muito interessado em parar para uma conversa, como faziam quando Bob estava por perto. Eu posso não ter gostado disso, mas aceitei. Era assim que as coisas eram.

Nas apresentações na Rua James, o som de moedas caindo no estojo havia se tornado música para meus ouvidos, não podia negar. Mas, sem

Bob, não pude deixar de notar que a música decaiu significativamente. Enquanto eu tocava, tinha consciência de que não estava nem perto de conseguir o mesmo dinheiro. Levei algumas horas a mais para ganhar cerca de metade do dinheiro que conseguia em um dia bom com Bob. Eu estava de volta aos velhos tempos antes de Bob, mas estava tudo bem.

Foi quando voltei naquela noite que algo começou a afundar-se dentro de mim. Não era apenas uma questão de ganhar dinheiro. Eu não morreria de fome. E minha vida era muito mais rica por Bob fazer parte dela.

Era um imenso prazer ter tão boa companhia, tão grande companheiro. Mas, de alguma forma, senti como se houvesse recebido uma oportunidade para voltar aos trilhos.

Não é fácil quando você está trabalhando nas ruas. As pessoas não querem lhe dar uma chance. Antes de eu ter Bob, se tentasse me aproximar das pessoas nos bares com minha guitarra no peito, elas diriam “não, lamento” antes mesmo que eu tivesse a oportunidade de dizer olá. Poderia estar simplesmente perguntando as horas. Mas elas me diziam: “Estou sem trocado, desculpe”, antes que eu abrisse a boca. Isso acontecia o tempo todo. Elas nem sequer me davam a oportunidade.

As pessoas não querem ouvir. Tudo o que veem é alguém que elas creem estar tentando se aproveitar delas. Não entendem que estou trabalhando, não estou mendigando. Estava realmente tentando ganhar a vida. Só porque não estava usando um terno e uma gravata e carregava uma pasta ou um computador, só porque não tinha um holerite e os documentos de rescisão de trabalho, não significava que estava vivendo à custa dos outros.

Ter Bob ali comigo me deu a oportunidade de interagir com as pessoas.

Elas perguntavam sobre Bob e eu tinha a chance de explicar minha situação ao mesmo tempo. Perguntavam de onde ele tinha vindo, e eu, então, era capaz de explicar como nos conhecêramos e como estávamos ganhando dinheiro para pagar o aluguel, a comida, a eletricidade e o gás. As pessoas me julgavam de forma mais justa.

Psicologicamente, elas também começavam a me ver sob outro ângulo.

Os gatos são notoriamente exigentes a respeito de quem eles gostam. Se um gato não gosta do dono, ele sai e encontra outro. Gatos fazem isso o tempo todo. Eles vão embora e passam a viver com outra família. Ver-me com meu gato suavizou-me aos olhos das pessoas. Ele me humanizou. Especialmente depois de eu ter sido tão desumanizado. De certa forma, ele estava devolvendo minha identidade. Eu tinha sido uma não pessoa; e estava me tornando uma pessoa novamente.

Capítulo 7

Os Dois Mosqueteiros

Bob não estava apenas mudando a atitude das pessoas em relação a mim: ele estava mudando minha atitude em relação aos outros também.

Nunca tivera nenhuma responsabilidade para com os outros em minha vida. Tivera um trabalho aqui e ali, quando era mais jovem, na Austrália, e também estivera em uma banda, o que exigira um pouco de trabalho em equipe. Mas a verdade é que, desde que saíra de casa, ainda adolescente, minha responsabilidade principal sempre fora para comigo mesmo. Eu sempre tivera que cuidar de só uma pessoa, simplesmente porque não havia mais ninguém para fazer isso. Como resultado, minha vida se tornara muito egoísta. Tudo girava em torno de minha sobrevivência, dia após dia.

A chegada de Bob à minha vida mudou tudo isso dramaticamente. De repente, assumi uma responsabilidade extra. A saúde e a felicidade de outro ser dependiam de mim.

Compreendi tudo isso com certo choque, mas comecei a me adaptar. Na verdade, gostei. Sabia que, para muita gente, isso poderia parecer bobagem, mas, pela primeira vez, tinha uma ideia do que devia ser cuidar de uma criança. Bob era meu bebê, e ter certeza de que ele estava aquecido, bem alimentado e seguro era algo muito gratificante. Era assustador também.

Eu me preocupava com ele constantemente, em especial quando estava nas ruas. Em Covent Garden e em outros lugares onde estava sempre em modo de proteção, meus instintos sempre me diziam constantemente que eu precisava tomar conta dele a cada instante. Com bons motivos.

Eu não fui induzido a uma falsa sensação de segurança pela maneira como as pessoas me tratavam com Bob. As ruas de Londres não eram completamente preenchidas por turistas de bom coração e amantes de gatos. Nem todos reagiam da mesma forma quando viam um músico de rua de cabelos compridos com seu gato cantando pelas esquinas enquanto os outros jantavam. Agora que eu tinha Bob, isso acontecia com menor frequência, mas ainda recebia uma saraivada de agressões de vez em quando, geralmente de caras jovens e bêbados que acreditavam que o fato de receberem um envelope de pagamento no final de semana os tornava, de alguma forma, superiores a mim.

— Saia daqui e arranje um trabalho decente, seu vagabundo cabeludo — eles diziam, embora quase sempre com uma linguagem mais colorida do que essa.

Eu não ligava para os insultos. Estava acostumado a eles. Mas era uma questão diferente quando as pessoas voltavam sua agressão para Bob. Era quando meus instintos protetores realmente assumiam o controle.

Algumas pessoas acreditavam que eu e Bob fôssemos alvos fáceis. Quase todos os dias, nós éramos abordados por idiotas de algum tipo. Eles gritavam comentários estúpidos ou ficavam por ali, rindo de nós. Ocasionalmente, ameaçavam se tornar violentos.

Certa noite de sexta-feira, pouco depois de Bob e eu chegarmos a Covent Garden juntos pela primeira vez, estava tocando na Rua James quando um grupo de jovens negros muito agitados passou por nós. Eles realmente tinham um comportamento agressivo e estavam, obviamente, à procura de encrenca. Dois deles avistaram Bob sentado na calçada perto de mim e começaram a fazer sons de miados e latidos, especialmente para divertirem seus companheiros.

Eu poderia ter lidado com aquilo. Era apenas algo estúpido e pueril. Mas, então, sem nenhuma razão, um deles chutou o estojo da guitarra com Bob dentro dele. Não foi nenhum toque lúdico com os dedos dos pés; havia um veneno real nele, e o chute fez com que o estojo — com Bob — deslizasse quase meio metro pela calçada.

Bob ficou muito nervoso. Ele fez um barulho alto, quase como um grito, e pulou para fora do estojo. Felizmente, sua guia estava amarrada, caso contrário ele quase certamente teria fugido em meio às multidões. Eu poderia nunca mais o ter visto novamente. Em vez disso, contido pela guia, ele não teve opção a não se esconder atrás de minha mochila, que estava próxima.

Levantei-me imediatamente e confrontei o rapaz.

— Por que você fez isso, p***? — disse, em pé de igualdade com ele. Sou muito alto e me impus perante ele, mas isso não pareceu perturbá-lo.

— Eu só queria ver se o gato era de verdade — respondeu, rindo como se tivesse contado uma anedota brilhante.

Não vi o lado engraçado daquilo.

— Isso foi muito inteligente, seu idiota de m*** — zombei.

Esse foi o sinal para que tudo começasse. Todos eles passaram a me circular e um deles me empurrou com o peito e ombros, mas me firmei no chão e o empurrei de volta. Por um segundo ou dois, houve um certo confronto, mas então apontei para uma câmera de circuito interno que sabia que estava posicionada na esquina perto de nós.

— Vão em frente, façam o que quiserem. Mas lembrem-se: vocês estão sendo filmados. Não vão muito longe depois daqui.

Suas expressões formaram uma imagem que eu gostaria de ter capturado — em circuito interno ou em qualquer lugar. Obviamente, eram espertos o suficiente para saber que não poderiam se safar depois de a violência ser registrada pela câmera. Um deles me lançou um olhar como se dissesse: "Você vai pagar por isso".

É claro, eles não poderiam recuar sem descarregar outra onda de insultos. Mas logo seguiram em frente, agitando os braços e fazendo todos os gestos ofensivos conhecidos pelo homem. Paus e pedras e tudo mais. Eu não estava preocupado. Na verdade, senti-me bem vendo-os partir. Mas não fiquei muito mais tempo por ali naquela noite. Eu conhecia o tipo deles. Não aceitariam facilmente ser "desrespeitados".

O incidente provou duas coisas para mim. Primeiro, era sempre uma boa ideia estar perto de uma câmera de circuito interno de TV. Fora outro artista de rua quem me dera o conselho de sempre tentar fazer as apresentações perto de uma.

— Você estará mais seguro ali — ele disse.

Claro que eu era muito metido a sabichão naquela época. Não estaria dando evidências para as autoridades caso estivesse me apresentando ilegalmente? Ignorei o conselho por um tempo. De forma lenta, mas irreversível, no entanto, percebi a sabedoria de suas palavras, e incidentes como aquele as sublinhavam.

Esse foi o lado positivo. O lado negativo foi que me lembrei de algo que também já sabia. Realmente estava por conta própria quando surgiam problemas como aquele. Não havia um policial à vista. Não havia nem o cheiro de um Guardião de Covent, nem qualquer assistência do pessoal da estação de metrô. Apesar do fato de que várias pessoas estavam passando por ali quando o grupo me confrontou, nenhum dos transeuntes se ofereceu para intervir. Na verdade, as pessoas fizeram o melhor para se esconder na paisagem e sumir dali. Ninguém veio em meu auxílio. Em relação a isso, nada havia mudado. Exceto, é claro, que agora eu tinha Bob.

Quando voltamos para Tottenham naquela noite, ele se aconchegou em mim no ônibus.

— Somos você e eu contra o mundo — disse a ele. — Nós somos os dois mosqueteiros.

Ele aninhou-se em mim e ronronou suavemente, como que demonstrando estar de acordo.

A dura realidade é que Londres estava cheia de pessoas com as quais tínhamos que lidar com cautela. Desde que começara a levar Bob comigo, ficava atento aos cães, por exemplo. Havia muitos deles, obviamente, e não foi surpresa que muitos mostrassem um interesse imediato em Bob. Para ser justo, na maioria dos casos, as pessoas percebiam se seu cão estava se aproximando demais e davam um leve puxão na guia. Mas outras se aproximavam até perto demais para meu gosto.

Felizmente, Bob parecia não se incomodar realmente com eles. Ele simplesmente os ignorava. Se vinham para cima dele, apenas os fitava de volta. Mais uma vez, aquilo apoiava minha suspeita de que ele havia começado sua vida nas ruas e que aprendera a se cuidar dessa forma. Quão bem ele podia cuidar de si, descobri uma semana depois do incidente com o grupo.

Nós estávamos sentados na Rua Neal, no final da tarde, quando um cara com um staffordshire bull terrier surgiu à vista. Imbecis sempre têm esses cães, é um fato da vida de Londres, e aquele cara realmente parecia um imbecil. Ele estava de cabeça raspada, bebendo cerveja extraforte e vestindo um agasalho vagabundo. Do jeito que ia de um lado ao outro da rua, já estava fora de si, embora mal houvesse passado das quatro horas da tarde.

Ele reduziu o ritmo quando se aproximou de nós simplesmente porque o cão estava esticando a guia enquanto tentava se mover em minha direção e na de Bob.

Quando isso aconteceu, percebi que o cão não era ameaçador, ele estava apenas avaliando Bob. Bem, nem isso — ele estava avaliando os biscoitos que Bob tinha à sua frente. Ele não estava comendo no momento em que o cão começou a avançar em direção à tigela, farejando excitadamente com a perspectiva de uma ou duas guloseimas grátis.

Não pude acreditar no que aconteceu em seguida.

Naquele tempo, já havia visto Bob várias vezes perto de cães. Sua política normal era não lhes dar atenção. Nessa ocasião, no entanto, ele deve ter sentido que alguma ação era necessária.

Ele estava cochilando pacificamente a meu lado. Porém, quando o cão se inclinou para os biscoitos, ele calmamente olhou para cima, levantou-se e apenas bateu no nariz do cachorro com a pata. Foi tão rápido como um raio, um soco para deixar Muhammad Ali orgulhoso.

O cão não podia acreditar. Ele simplesmente pulou para trás em choque e continuou recuando.

Fiquei quase tão chocado quanto o cão, acho. Eu simplesmente ri alto.

O proprietário olhou para mim e, em seguida, para o cão. Creio que ele estava tão bêbado que não conseguiu compreender plenamente o que havia acontecido, especialmente porque tudo havia ocorrido em um piscar de olhos. Ele deu uma pancada na cabeça do animal e, em seguida, puxou a guia para seguir em frente. Acredito que tenha ficado envergonhado por um gato ter feito seu animal de aparência temível parecer estúpido.

Bob observou em silêncio enquanto o cão, com a cabeça pendendo de vergonha, foi embora. Dentro de poucos segundos, ele reverteu à sua posição anterior, cochilando a meus pés. Era como se não tivesse passado de um pequeno incômodo para ele, como golpear uma mosca irritante. Mas, para mim, fora um momento muito revelador. Ele me dissera muito mais sobre meu companheiro e a vida que ele havia levado antes de nosso fatídico encontro no final das escadas. Ele não tinha medo de se defender. Na verdade, sabia muito bem como cuidar de si mesmo. Devia ter aprendido a fazer isso em algum lugar, talvez em um ambiente onde houvesse muitos cães — e cães agressivos.

Mais uma vez, eu me encontrei fascinado pelas mesmas velhas questões. Onde ele havia crescido? Que aventuras tivera antes de se juntar a mim e se tornar o segundo mosqueteiro?

Viver com Bob era divertido. Como nosso pequeno desentendimento com o cão havia provado, nunca havia um momento de tédio. Ele era uma personalidade marcante, disso não havia nenhuma dúvida. Tinha todos os tipos de esquisitices, e eu estava descobrindo mais e mais todos os dias.

Até aquele tempo tinha poucas dúvidas sobre ele ter crescido nas ruas. Não eram apenas suas habilidades em brigas de rua; ele não era realmente domesticado de forma alguma, ainda tinha modos um tanto grosseiros. Mesmo então, depois que ele já morava comigo havia quase um mês, ainda não gostava de usar as caixas de areia que eu lhe havia comprado. Ele realmente odiava tais coisas e fugia para longe sempre que eu colocava alguma perto dele. Pelo contrário, ele se segurava até que me via passar pela porta e então fazia suas necessidades nos jardins do prédio, no nível da rua.

Eu não queria que as coisas continuassem assim. Para começar, não era muito divertido ter que descer — e subir — cinco lances de escadas para levar o gato para fora sempre que ele queria ir ao banheiro. Por isso, decidi tentar não dar a Bob nenhuma opção a não ser usar as caixas de areia. Um dia, durante a terceira semana, disse para mim mesmo que passaria 24 horas sem deixá-lo sair, de modo que ele não teria outra alternativa a não ser usar a caixa de areia. Mas ele ganhou aquela disputa sem se render. Segurou tudo e esperou — e esperou e esperou até que eu tive que sair. Foi então que ele se espremeu e passou por mim enquanto eu cruzava a porta e saiu correndo escada abaixo para chegar do lado de fora. Gol, ponto e cesta, tudo marcado por Bob. Percebi que dificilmente ganharia aquela luta.

Ele também tinha um lado selvagem em sua personalidade. Estava mais calmo do que quando chegara, graças, em grande parte, ao fato de ter sido castrado. Mas ele ainda podia agir como um completo maníaco no apartamento e, frequentemente, rasgava tudo por ali, brincando com qualquer coisa em que pudesse colocar as patas. Um dia, eu o vi divertir-se por quase uma hora com uma tampa de garrafa, lançando-a pelo chão da sala de estar com as patas. Outra vez, ele encontrou uma abelha. Ela estava claramente ferida — tinha uma asa machucada — e por isso estava se debatendo perto da mesa de café na sala de estar. A abelha ficava rolando e, de vez em quando, caía da mesa sobre o tapete. Cada vez que isso acontecia, Bob a apanhava gentilmente com os dentes e a colocava de volta na mesa. Era realmente impressionante a maneira como ele conseguia pegar a abelha delicadamente pela asa e colocá-la em segurança na superfície plana. Ele então a observava, enquanto ela se debatia sobre a mesa novamente. Era uma visão realmente cômica. Ele não queria comê-la. Só queria brincar com ela.

O instinto das ruas ainda se mostrava também quando o assunto era comida. Quando eu o levava ao térreo para fazer sua higiene, ele ia direto para a área na parte de trás dos apartamentos onde ficavam as latas de lixo. As grandes caçambas de lixo eram, muitas vezes, deixadas abertas e, ocasionalmente, havia sacos de lixo de plástico preto que haviam sido rasgados por raposas urbanas ou cães vadios. Bob sempre ia até ali e os investigava para ver se havia alguma sobra. Em uma ocasião, eu o peguei arrastando uma coxa de frango que, de alguma forma, havia sido negligenciada pelos outros catadores. Velhos hábitos custam a morrer, imaginei.

Isso era verdade, é claro. Apesar do fato de que eu o estava alimentando regularmente, ele ainda tratava cada refeição como se fosse a última. No apartamento, no momento em que colocava um pouco de ração para gato em sua tigela, ele enfiava a cara nela e começava a devorar como se não houvesse amanhã.

— Acalme-se e aprecie a comida, Bob — eu dizia a ele, mas sem sucesso. Mais uma vez, percebi que ele havia passado tanto tempo tendo que aproveitar cada oportunidade para se alimentar ao máximo que não havia se adaptado a viver em um lugar onde uma refeição adequada lhe era garantida duas vezes por dia. Eu sabia como era isso. Passara grande parte de minha vida vivendo da mesma maneira. Eu realmente não podia culpá-lo.

Bob e eu tínhamos muito em comum. Talvez por isso o vínculo houvesse se formado tão rápido — e estivesse crescendo de forma tão profunda.

A coisa mais irritante — literalmente — sobre ele, no entanto, era o fato de que sua pelagem havia começado a cobrir todos os cantos do apartamento.

Era algo perfeitamente natural, é claro. A primavera estava chegando e ele estava se livrando de seu casaco de inverno. Mas estava começando a perder um inferno de um monte de pelos. Para ajudar o processo de troca, ele se esfregava em qualquer coisa que encontrasse no apartamento. Como resultado, estava recobrindo-o com uma espessa camada de pelos. Era doloroso de se ver.

Era um bom sinal de que a pelagem — como o restante de seu corpo — estava voltando a ter boa saúde. Ele ainda era um pouco magricela, mas não havia mais sinais de suas costelas como havia quando eu o conhecera. Sua pelagem era naturalmente fina devido ao ambiente em que ele provavelmente crescera — a rua. O medicamento ajudara com suas falhas calvas e os antibióticos definitivamente haviam conseguido curar sua antiga ferida. Ela praticamente havia desaparecido nesse tempo, e, de fato, se a pessoa não soubesse que ela havia existido, nunca notaria nada.

Em tudo, ele aparentava estar muito melhor do que um mês antes.

Eu não lhe dava banhos. Os gatos se lavam, e ele era um gato típico nessa questão, lambendo-se e limpando-se regularmente. Na verdade, Bob era um dos gatos mais meticulosos que eu já tinha visto. Eu o observava passar por todo o ritual, lambendo metodicamente as patas. Isso me fascinava, especialmente pelo fato de ser algo tão fortemente ligado a seus ancestrais.

Os parentes distantes de Bob se originaram em climas quentes e não suavam. Assim, lamber-se fora a maneira que encontraram para liberar saliva e se refrescar. Fora também sua versão da capa de invisibilidade.

Como caçadores, ter cheiro é ruim para os gatos. Eles são caçadores furtivos e emboscam suas presas, por isso precisam agir o mais discretamente possível. A saliva do gato contém um desodorante natural, razão pela qual eles se lambem muito. Já foi provado pelos zoólogos que os gatos que tiram o cheiro de si mesmos com a lambida sobrevivem mais tempo e têm filhos mais bem-sucedidos. Essa também é sua maneira de se esconder de predadores como cobras, grandes lagartos e outros grandes mamíferos carnívoros.

É claro, a razão mais importante pela qual Bob e seus ancestrais sempre se lambiam era para ter e manter uma boa saúde. Gatos realmente se automedicam. Lamber reduz o número de parasitas, como piolhos, ácaros e carrapatos, que, potencialmente, podem fazer mal ao gato. Também evita a infecção de todas as feridas abertas, já que a saliva dos gatos também contém um agente antisséptico. Ao observá-lo certo dia, ocorreu-me que podia ser por essa razão que Bob se lambia tão frequentemente. Ele sabia que seu corpo estivera muito mal. Essa era sua maneira de ajudar o processo de cura.

O outro hábito engraçado que ele havia desenvolvido era assistir à televisão. Notei pela primeira vez que ele prestava atenção em telas certo dia, quando estava brincando em um computador na biblioteca local. Eu aparecia muitas vezes por lá, a caminho de Covent Garden ou quando não estava fazendo apresentações. Havia levado Bob para uma caminhada. Ele tinha decidido sentar-se em meu colo e ficou olhando para a tela comigo. Notei que, quando eu movia o mouse, ele tentava golpear o cursor com a pata. Então, de volta ao apartamento, como num experimento, certo dia, liguei a TV e saí da sala para fazer algo no quarto. Voltei para encontrar Bob relaxado no sofá, assistindo a um programa.

Já havia ouvido falar sobre gatos assistindo à TV de um amigo cujo gato amava *Star Trek: a Nova Geração*. Sempre que ele ouvia a música familiar — Da-Dã Dã Dã Da-Dã Dã Dã —, vinha correndo para a sala e saltava no sofá. Eu vi aquilo acontecer algumas vezes, e era hilário. Não é brincadeira.

Muito rapidamente, Bob também se tornou um pouco viciado em televisão. Se algo lhe chamava a atenção, então, de repente, ele estava colado na tela. Achei muito engraçado vê-lo assistindo às corridas no Canal 4. Ele realmente gostava de cavalos. Não era algo a que eu assistia, mas realmente me divertia vendo-o sentado ali, fascinado com aquilo.

Capítulo 8

Tornando-se Oficial

Certa manhã de quinta-feira, poucas semanas depois de termos começado nossa parceria nas apresentações de rua em Covent Garden, levantei-me mais cedo do que de costume, preparei nosso café da manhã e saí com Bob. Em vez de caminhar para o centro de Londres como de costume, desci do ônibus perto de Islington Green.

Havia tomado uma decisão. Como ele me acompanhava quase todos os dias nas ruas agora, precisava dar um passo responsável e colocar um microchip em Bob.

Colocar microchips em cães e gatos costumava ser um negócio complicado, mas agora é simples. Tudo que é necessário é um procedimento cirúrgico simples em que um veterinário injeta um minúsculo chip no pescoço do gato. O chip contém um número de série, que é então registrado com os detalhes do proprietário. Dessa forma, se um gato perdido for encontrado, as pessoas poderão verificar o chip e descobrir a quem ele pertence.

Dada a vida que Bob e eu levávamos, pensei que era uma boa ideia colocar o chip. Se, Deus me livre, algum dia nós nos separássemos, seríamos capazes de encontrar um ao outro. Se o pior viesse a ocorrer e algo acontecesse comigo, ao menos os registros mostrariam que Bob não era um gato de rua completamente selvagem; ao menos uma vez ele teria sido parte de um lar amoroso.

Quando comecei a pesquisar o processo de microchipagem na biblioteca, rapidamente cheguei à conclusão de que não podia pagar. A maioria dos veterinários estava cobrando uma quantia exorbitante, de 60 a 80 libras, para colocar um chip. Simplesmente não tinha todo esse dinheiro, e, mesmo que tivesse, não pagaria tudo aquilo.

Mas então, um dia, fui falar com a senhora dos gatos do outro lado da rua.

— Você deve ir até o posto da Blue Cross em Islington Green, em uma quinta-feira — disse ela. — Eles só cobram o custo do chip. Mas certifique-se de chegar cedo. Sempre há uma grande fila.

Por isso, parti cedo naquele dia para chegar àquela clínica matutina, que eu sabia que funcionava das dez horas ao meio-dia.

Como a senhora dos gatos havia previsto, deparamo-nos com uma imensa fila quando chegamos a Islington Green. Ela se estendia para baixo em direção à grande livraria Waterstone. Por sorte, a manhã estava clara e brilhante, de maneira que não foi um problema ficar por ali.

Havia a aglomeração de tipos usuais que se encontram em uma situação como essa: pessoas com seus gatos em caixas de transporte chiques, cães tentando cheirar um ao outro e sendo um incômodo geral. Mas era uma multidão bastante sociável e, certamente, mais esperta e carinhosa do que aquela na RSPCA, onde havia levado Bob para ser examinado pela primeira vez.

O que era engraçado era que Bob era o único gato que não estava em uma caixa de transporte, de forma que ele atraiu muita atenção — como de costume. Havia duas senhoras idosas que se sentiram totalmente apaixonadas e ficaram brincando com ele.

Depois de cerca de uma hora e meia de espera, Bob e eu chegamos à frente da fila, onde fomos recebidos por uma jovem enfermeira veterinária com cabelo curto e alisado.

— Quanto custa para colocar um microchip nele? — perguntei a ela.

— São 15 libras — respondeu ela.

Minha aparência tornava bastante óbvio que não estava exatamente nadando em dinheiro. Então, ela rapidamente acrescentou:

— Mas você não tem que pagar tudo de uma vez. Pode pagar ao longo de algumas semanas. Eu diria duas libras por semana, que tal?

— Legal — respondi, agradavelmente surpreso. — Posso pagar isso.

Ela fez uma verificação rápida em Bob, provavelmente para se certificar de que a saúde dele estava boa o suficiente, como de fato estava. Ele parecia muito mais saudável naqueles dias, especialmente agora que havia se desfeito totalmente da pelagem de inverno. Estava esbelto e muito atlético.

Ela nos levou para a sala de cirurgia, onde o veterinário estava esperando. Ele era um cara jovem, com seus 20 e poucos anos, provavelmente.

— Bom dia — disse-me antes de se virar para conversar com a enfermeira. Eles confabularam calmamente num canto e, depois, começaram a preparação do processo de microchipagem. Fiquei observando enquanto organizaram as coisas. A enfermeira saiu com alguns papéis, enquanto o veterinário arrumava a seringa e a agulha para injetar o chip. O tamanho dela ligeiramente tirou meu fôlego. Era uma grande agulha. Mas então percebi que tinha que ser, já que era para inserir um chip, que era do tamanho de um grão de arroz grande. Tinha que ser grande o suficiente para atravessar a pele do animal.

Bob não gostou da aparência de tudo aquilo e não podia culpá-lo. Assim, a enfermeira e eu tivemos que o segurar e tentar mantê-lo distante do veterinário para que Bob não pudesse ver o que ele estava fazendo.

Bob não era estúpido, no entanto, e sabia que algo estava acontecendo. Ficou bastante agitado e tentou se livrar de meus braços.

— Você vai ficar bem, companheiro — disse a ele, acariciando sua barriga e as pernas traseiras enquanto o veterinário se aproximava.

Quando a agulha penetrou, Bob soltou um berro. O som passou por mim cortante como uma faca e, por um momento, pensei que começaria a chorar quando ele começou a tremer de dor.

Mas a agitação logo se dissipou e ele se acalmou. Dei-lhe um biscoito de minha mochila e então, cuidadosamente, peguei-o e voltei para a área da recepção.

— Muito bem, companheiro — procurei animá-lo.

A enfermeira me pediu para preencher dois formulários de aparência complicada. Felizmente, a informação que ela queria era bastante simples.

— Certo, precisamos preencher seus dados para colocá-los no banco de dados — disse ela. — Vamos precisar de seu nome, endereço, idade, número de telefone e todo esse tipo de coisa. — Ela sorriu.

Foi só quando vi a enfermeira preenchendo o formulário que me impressionei. Será que aquilo significava que eu era oficialmente o proprietário de Bob?

— Então, legalmente falando, isso significa que estou agora registrado como dono dele? — perguntei à garota.

Ela apenas levantou os olhos da papelada e sorriu.

— Sim. Tudo bem? — indagou.

— Sim, tudo ótimo — respondi, ligeiramente surpreso. — Realmente ótimo.

Bob estava começando a se restabelecer naquele momento. Eu o acariciei na testa. Ele ainda estava sentindo a injeção, obviamente, por isso não passei a mão perto de seu pescoço, pois ele poderia arranhar meu braço.

— Você ouviu isso, Bob? — disse a ele. — Parece que somos, oficialmente, uma família.

Tenho certeza de que atraímos mais olhares do que o habitual enquanto andávamos por Islington depois disso. Devia estar com um sorriso tão largo quanto o Tâmisa.

Ter Bob comigo já havia feito a diferença na forma como eu estava vivendo a vida. Ele me fizera "limpar" meu agir em mais de um sentido.

Além de me trazer mais rotina e senso de responsabilidade, ele também me fez dar uma boa olhada em mim mesmo. E não gostei do que vi.

Não estava orgulhoso do fato de ser um viciado em recuperação, e certamente não estava orgulhoso do fato de que tinha que visitar uma clínica uma vez a cada 15 dias e receber medicamentos de uma farmácia todos os dias. Por isso, criei a regra de que, a menos que fosse absolutamente necessário, não o levaria comigo nessas visitas. Sei que pode parecer loucura, mas não queria que ele visse esse lado de meu passado. Isso foi outra coisa com que ele me ajudou; realmente via tudo aquilo como meu passado. Via meu futuro como um sujeito limpo, vivendo uma vida normal. Só precisava completar a longa viagem que levava a esse ponto.

Havia ainda muitos lembretes daquele passado e de quanto eu ainda tinha que avançar. Poucos dias depois que coloquei o microchip, estava remexendo minhas coisas e procurando o novo cartão Oyster[6] que havia chegado pelo correio quando comecei a esvaziar o conteúdo de um armário em meu quarto.

Ali, no fundo do armário, debaixo de uma pilha de jornais velhos e roupas, havia uma caixa Tupperware de plástico. Reconheci-a imediatamente, embora não a visse havia algum tempo. Ela continha toda a parafernália que havia juntado quando estava usando heroína. Havia seringas, agulhas, tudo de que eu precisava para alimentar meu vício.

---

[6] *Oyster card* é um cartão de viagem eletrônico, utilizado no sistema de transporte público da região metropolitana de Londres. (N. T.)

Foi como ver um fantasma. Trouxe de volta muitas memórias ruins. Vi imagens de mim mesmo que realmente esperava banir de minha mente para sempre.

Decidi imediatamente que não queria mais aquela caixa em minha casa. Não queria que ela estivesse ali para me lembrar e, talvez, até mesmo, para me seduzir. E definitivamente não queria aquilo perto de Bob, embora não estivesse à vista.

Bob estava sentado próximo ao aquecedor como de costume, mas se levantou quando me viu colocar meu casaco e me preparar para descer. Ele me seguiu até a área das lixeiras e me observou enquanto eu jogava a caixa em um contêiner para resíduos perigosos.

— Pronto — disse, virando-me para Bob, que agora me fitava com um de seus olhares curiosos. — Só estou fazendo algo que já deveria ter feito há muito tempo.

Capítulo 9

O Mestre das Fugas

A vida nas ruas não é simples. Você sempre tem que esperar o inesperado. Aprendi isso logo no início. Assistentes sociais sempre utilizam a palavra "caótica" quando falam sobre pessoas como eu. Eles chamam nossa vida de caótica, porque ela não está em conformidade com a ideia deles de normalidade, mas é a normalidade para nós. Por isso, não fiquei surpreso quando, enquanto aquele primeiro verão com Bob chegava ao fim e o outono começava, a vida ao redor de Covent Garden começou a ficar mais complicada. Sabia que as coisas não permaneceriam como eram. Nada nunca permanecia em minha vida.

Bob ainda provava ser um verdadeiro animador de público, especialmente com turistas. De onde quer que eles viessem, paravam e falavam com ele. Hoje, creio que ouvi todas as línguas existentes na Terra — do africâner ao galês — e aprendi a palavra para gato em todas elas. Conhecia a palavra em tcheco, *kocka*, e em russo, *koshka*; conhecia em turco, *kedi*, e minha favorita, em chinês, *mao*. Fiquei realmente surpreso quando descobri que o grande líder deles havia sido um gato!

Mas não importava em que língua estranha ou maravilhosa fosse dita, a mensagem era quase sempre a mesma. Todo mundo adorava Bob.

Tínhamos também um grupo de "regulares", pessoas que trabalhavam na área e passavam por nós no caminho para casa à noite. Algumas sempre paravam para dizer olá. Uma ou duas haviam até mesmo começado a dar pequenos presentes para Bob.

Eram os outros "locais" que estavam causando encrenca.

Para começar, estava tendo alguns problemas na Rua James devido aos Guardiões de Covent. Continuava a tocar ao lado da estação de metrô. Em duas ocasiões, um Guardião viera conversar comigo. Ele citara a lei, explicando que a área era destinada às estátuas vivas. O fato de que não parecia haver nenhuma por perto naquele momento não o incomodava.

— Você conhece as regras — ele me dizia.

Eu conhecia. Mas também sabia que as regras estavam lá para serem adaptadas quando necessário. Mais uma vez, tratava-se da vida nas ruas. Se fôssemos o tipo de pessoa que seguia regras, não estaríamos ali.

Então, cada vez que o Guardião vinha em minha direção, eu me ia para outro lugar por algumas horas e, depois, calmamente, deslizava de volta para a Rua James. No que me dizia respeito, era um risco que valia a pena correr. Nunca ouvira falar que eles houvessem chamado a polícia para lidar com alguém atuando no lugar errado.

As pessoas que estavam me incomodando muito mais eram os funcionários do metrô, que agora também pareciam se opor ao fato de eu me apresentar do lado de fora do local de trabalho deles. Havia dois inspetores de passagens, em particular, que haviam começado a dificultar minha vida. Começaram com olhares de reprovação e comentários casuais e estranhos quando me acomodava junto à parede da estação de metrô. Mas, então, um inspetor realmente desagradável, um cara grande e suado de uniforme azul, aproximou-se de mim um dia e foi bastante ameaçador.

Naqueles tempos, já havia percebido que Bob era um grande leitor de pessoas. Ele poderia perceber alguém que não fosse muito "do bem" a uma grande distância. Percebeu aquele cara no minuto em que ele começou a caminhar em nossa direção, passando a se espremer junto a mim enquanto ele aproximou-se.

— Tudo bem, companheiro? — indaguei.

— Na verdade, não. Não. É melhor você cair fora, ou então... — disse ele.

— Ou então o quê? — retorqui, levantando-me.

— Você vai ver — disse ele, obviamente, tentando me intimidar. — Estou avisando.

Eu sabia que ele não tinha poder fora da estação de metrô e estava apenas tentando me assustar. Mas, depois disso, decidi que poderia ser mais inteligente ficar longe por um tempo.

Assim, a princípio, mudei-me para o começo da Rua Neal, perto da junção com a Long Acre, a não mais do que um pulo da estação de metrô, mas longe o suficiente para estar fora da vista dos funcionários. O volume de pessoas que passavam por ali não era muito grande — e nem sempre tão bem-intencionadas — como aquelas na região de Covent Garden. Na maioria das vezes em que trabalhei ali, deparei-me com algum idiota chutando meu estojo ou tentando assustar Bob. Podia afirmar que ele não estava confortável ali: enrolava-se em uma bola defensiva e estreitava os olhos em uma fenda fina sempre que me estabelecia ali. Era sua maneira de dizer: "Não gosto de ficar aqui".

Por isso, depois de alguns dias, em vez de nos dirigirmos a Covent Garden, como de costume, Bob e eu descemos do ônibus e atravessamos o Soho em direção a Piccadilly Circus.

É claro, não havíamos deixado o centro de Londres — e o bairro de Westminster —, por isso ainda havia regras e regulamentos. Piccadilly funcionava de forma semelhante a Covent Garden; havia determinadas áreas designadas para apresentações musicais de rua. Dessa vez, decidi seguir as regras. Sabia que a área a leste de Piccadilly Circus, na estrada que conduz a Leicester Square, era um bom local, especialmente para músicos de rua. Assim, fui para lá.

Chegando lá com Bob, escolhi um ponto a apenas alguns metros de distância de uma das principais entradas da estação de metrô de Piccadilly Circus, do lado de fora da exposição do *Acredite se Quiser*.

O final de tarde e a noite foram muito movimentados, com centenas de turistas na rua, indo a cinemas e a teatros da Zona Oeste. Logo, estávamos fazendo tudo certo, apesar do fato de que as pessoas se moviam muito rapidamente nessa região, correndo para a entrada do metrô. Como de costume, diminuíam a velocidade e paravam algumas vezes quando viam Bob.

Notei que ele estava um pouco nervoso, porque se enrolou ainda mais apertado do que o habitual perto da parte superior de minha guitarra — provavelmente, devido ao número de pessoas e ao fato de que estava em um ambiente desconhecido. Realmente, sentia-se mais confortável quando estava em um lugar que era capaz de reconhecer.

Como de costume, pessoas de todo o mundo passavam por ali, observando a vista do centro de Londres. Havia especialmente diversos turistas japoneses, muitos dos quais ficaram fascinados por Bob. Logo aprendi outra palavra nova para gato: *neko*. Tudo estava bem até por volta de seis horas da tarde, quando as multidões realmente engrossaram com o início da hora do rush. Foi nesse momento que um cara de promoções do *Acredite se Quiser* saiu para a rua. Ele estava vestindo uma grande roupa inflável, que fazia com que parecesse ter três vezes seu tamanho normal, e executava grandes gestos com os braços, incentivando as pessoas a visitar a exposição. Não tinha ideia de como aquilo se relacionava com as coisas sendo expostas no interior do edifício. Talvez tivesse a ver com o homem mais gordo do mundo? Ou o trabalho mais ridículo do mundo?

Porém, percebi imediatamente que Bob não gostou da aparência dele. Eu o senti retrair-se ainda mais para perto de mim quando o homem apareceu pela primeira vez. Ele realmente estava inseguro quanto ao sujeito e lançava-lhe um leve olhar de apreensão. Sabia exatamente o que o incomodava; o cara parecia mesmo um pouco estranho.

Para meu alívio, Bob se acomodou depois de um tempo e pareceu esquecer o homem. Por um tempo, nós simplesmente o ignoramos, enquanto ele continuava tentando convencer as pessoas a entrar na exposição. Ele estava tendo algum sucesso, por isso ficou longe de nós. Eu estava cantando uma canção de Johnny Cash, "Ring of Fire", quando, por nenhuma razão em particular, o cara de promoções se aproximou de nós de repente, apontando para Bob como se quisesse vir e acariciá-lo. Eu não o vi até que ele estivesse quase em cima de nós, inclinando-se com seu traje inflável esquisito. E aí já era tarde demais.

A reação de Bob foi instantânea. Ele apenas saltou e fugiu, correndo em meio às multidões com sua nova guia arrastando-se atrás dele. Antes que eu pudesse reagir, ele já havia desaparecido em direção à entrada da estação de metrô.

Ah, merda, disse para mim mesmo, com o coração disparando. *Ele se foi. Eu o perdi.*

Meus instintos assumiram o controle, todos de uma só vez. Pulei de imediato e corri atrás dele. Deixei até a guitarra. Estava muito mais preocupado com Bob do que com um instrumento. Poderia encontrar um daqueles em qualquer lugar.

Encontrei-me imediatamente em meio a um mar de pessoas. Havia trabalhadores de escritório tomando o metrô no final de um dia de trabalho, foliões precoces chegando para uma noite no centro de Londres e, como sempre, milhares e milhares de turistas, alguns com mochilas, outros segurando mapas de rua, todos parecendo um pouco sobrecarregados por se encontrarem no coração pulsante de Londres. Tive que forçar caminho em meio a eles até chegar à entrada da estação de metrô. Inevitavelmente, esbarrei em algumas pessoas, quase derrubando uma senhora.

Era impossível ver alguma coisa através da parede constante de pessoas que se deslocava em minha direção, mas, quando finalmente cheguei ao final das escadas no saguão, as coisas começaram a clarear um pouco. O local ainda estava fervilhante de pessoas, mas pelo menos agora podia parar e dar uma olhada. Agachei-me e olhei ao redor no nível do chão. Uma ou duas pessoas me lançaram olhares estranhos, mas não me preocupei com isso.

— Bob, Bob, cadê você, companheiro? — gritei em um ponto, imediatamente percebendo quão inútil era gritar com todo aquele barulho lá dentro.

Tinha que escolher ao acaso e ir naquela direção. Devia ir para as barreiras que levavam às escadas rolantes e até os trens ou me mover para as várias outras saídas? Por qual caminho Bob seguiria? Meu palpite era que ele não desceria pela estação. Nós nunca estivéramos lá juntos e tinha a sensação de que as escadas rolantes o assustariam.

Então, fui para as saídas do outro lado de Piccadilly Circus.

Depois de um momento ou dois, vislumbrei alguma coisa, apenas um breve flash laranja em uma das escadarias. E então vi uma guia sendo arrastada atrás dele.

— Bob, Bob! — gritei novamente, espremendo-me mais uma vez por entre a multidão enquanto ia naquela direção.

Estava agora a cerca de dez metros de distância dele, mas poderia muito bem ter sido um quilômetro de distância, já que as multidões eram intransponíveis. Havia uma leva de pessoas descendo a escada.

— Parem-no, pisem na guia dele — eu gritava, tendo outro vislumbre do laranjinha pela luz da noite acima de mim.

Mas ninguém estava dando a mínima. Não estavam prestando a menor atenção.

Em instantes, a guia tinha desaparecido e não havia nenhum sinal de Bob. Ele devia ter alcançado a saída, que levava ao final da Rua Regent, e fugira dali.

Naquele instante, um milhão de pensamentos pipocava em minha cabeça, nenhum deles bom. E se ele houvesse corrido para a rua em Piccadilly Circus? E se alguém o houvesse percebido e o levado consigo?

Enquanto eu forçava caminho até as escadas e chegava ao nível da rua outra vez, sentia-me muito nervoso. Verdade seja dita, eu poderia ter irrompido em lágrimas, porque estava convencido de que nunca mais o veria novamente.

Sabia que não era minha culpa, mas me senti horrível. Por que diabos não havia preso a guia dele em minha mochila ou em meu cinto, de modo que ele não pudesse correr além do comprimento da guia? Por que não havia percebido seu pânico quando o cara do *Acredite se Quiser* aparecera pela primeira vez e me mudado para outro lugar? Eu me senti muito mal.

Mais uma vez, tive que fazer uma escolha. Por qual caminho ele teria seguido correndo pelas ruas? Ele poderia ter virado à esquerda para a Piccadilly ou até mesmo entrado na loja gigante da Tower Records que havia por lá. Mais uma vez, confiei em meus instintos e imaginei que ele teria, basicamente, seguido em linha reta — pelas calçadas mais amplas da Rua Regent.

Ainda em pânico completo, comecei a seguir pela rua, na esperança de que alguém o houvesse visto.

Sabia que devia estar parecendo completamente louco, porque as pessoas me olhavam de soslaio. Algumas até mesmo saíam de minha frente como se eu fosse um atirador enlouquecido em fúria.

Felizmente, nem todas reagiram dessa maneira.

Depois de quase 30 metros, parei uma jovem que estava andando pela rua com uma sacola da loja da Apple na Rua Oxford, no final da Rua Regent. Ela obviamente havia percorrido todo o trajeto da rua, por isso perguntei se ela havia visto um gato.

— Ah, sim — disse ela. — Eu vi um gato dando voltas pela rua. Laranja. Tinha uma guia pendurada atrás dele. Um cara tentou pisar na guia e pegá-lo, mas o gato foi rápido demais para ele.

Minha reação imediata foi de alegria. Eu poderia tê-la beijado. Tinha certeza de que era Bob. Mas a alegria rapidamente deu lugar à paranoia. Quem era aquele cara que havia tentado pegá-lo? O que ele planejara fazer com ele? Teria assustado Bob ainda mais? Ele estaria agora encolhido em algum lugar onde nunca mais o encontraria?

Com todos esses novos pensamentos batendo em minha cabeça, segui pela Rua Regent enfiando a cabeça em cada loja pela qual passava. A maioria dos atendentes de loja parecia horrorizada ao ver aquela figura de cabelos compridos parada diante de suas portas e dava um passo para trás. Outros apenas me dirigiam rápidas expressões de indiferença e sacudiam a cabeça lentamente. Podia ver o que estavam pensando. Pensavam que eu era um monte de sujeira que havia acabado de ser soprado da rua.

Depois de meia dúzia de lojas, meu humor começou a oscilar novamente, dessa vez em direção à resignação. Não tinha ideia de quanto tempo havia se passado desde que Bob havia fugido. O tempo parecia correr mais lentamente. Era como se tudo estivesse acontecendo em câmera lenta. Estava perto de desistir.

Duzentos metros adiante, na Rua Regent, havia uma rua lateral que levava de volta para Piccadilly. De lá, ele poderia ter se dirigido a qualquer uma dentre uma dúzia de direções: pela Mayfair ou mesmo cruzando a rua em direção a Saint James e a Haymarket. Se ele tivesse ido tão longe, então sabia que ele estava perdido.

Estava prestes a desistir e descer pela rua lateral quando enfiei a cabeça em uma loja de roupas femininas. Havia duas atendentes ali, parecendo um pouco perplexas e olhando para a parte de trás da loja.

Elas se voltaram para me ver e, no momento em que eu disse a palavra "gato", seus rostos se iluminaram.

— Um laranjinha? — perguntou uma delas.

— Sim, ele está com uma coleira e uma guia.

— Ele está aqui, na parte de trás — disse uma delas, gesticulando para eu entrar e fechar a porta.

— É por isso que fechamos a porta — disse a outra. — Não queríamos que ele fugisse.

— Imaginamos que alguém estivesse procurando por ele por causa da guia.

Elas me levaram para uma fileira de armários abertos, repletos de roupas com aparência esmerada. Notei os preços em algumas delas. Cada uma custava mais do que eu conseguia em um mês. Mas então, no canto de um dos guarda-roupas, enrolado em uma bola, vi Bob.

Naqueles últimos minutos, quando o tempo havia se tornado mais lento, uma parte de mim se perguntou se ele estava tentando ficar longe de mim. Será que havia se enchido de mim? Será que não queria mais a vida que eu lhe oferecia? Assim, quando me aproximei dele, estava preparado para vê-lo pirar novamente e fugir.

Mas ele não fugiu.

Eu mal murmurei baixinho:

— Ei, Bob, sou eu — e ele pulou diretamente em meus braços.

Todos os meus medos sobre ele querer se livrar de mim se evaporaram enquanto ele ronronava profundamente e se esfregava em mim.

— Você me deu um baita susto, companheiro — falei, acariciando-o. — Pensei que tivesse perdido você.

Ergui os olhos e vi que as duas lojistas estavam paradas próximas de nós, assistindo a tudo. Uma delas estava esfregando os olhos, à beira das lágrimas.

— Estou tão feliz que você o tenha encontrado — disse ela. — Ele parece ser um gato adorável. Ficamos pensando no que faríamos com ele se ninguém aparecesse antes do horário de fechamento.

Ela se aproximou e acariciou Bob por um momento. Conversamos por alguns minutos enquanto ela e sua colega se preparavam para fechar o caixa e começavam a trancar a loja.

— Tchau, Bob — disseram quando nós partimos de volta para a multidão na região de Piccadilly Circus, com Bob empoleirado em meu ombro novamente.

Quando voltei para perto do *Acredite*, descobri — para meu espanto — que minha guitarra ainda estava lá. Talvez o segurança na porta houvesse ficado de olho nela. Ou talvez um dos oficiais de apoio comunitário da área tivesse cuidado de mantê-la a salvo. Na época, havia uma unidade móvel da polícia próxima a nós. Todo o pessoal da polícia e do apoio à comunidade amava Bob. Ele tinha se tornado muito popular com os policiais. Não tinha ideia de quem fora o bom samaritano, mas, para ser honesto, não me importava. Só estava feliz porque Bob e eu estávamos juntos.

Não perdi tempo; recolhi minhas coisas e encerrei a noite. Nós não havíamos ganhado dinheiro suficiente, mas essa não era minha maior preocupação. Parei em uma loja e, com a maior parte do dinheiro que tinha comigo, comprei um pequeno prendedor de cinto que prendi primeiro em mim e, então, à guia de Bob. Isso me daria a certeza de que permaneceríamos ligados um ao outro o tempo todo.

No ônibus, em vez de se sentar no assento a meu lado, como de costume, ele se sentou em meu colo. Ele podia ser um carinha inescrutável, mas, algumas vezes, sabia exatamente o que Bob estava pensando. Essa era uma dessas ocasiões. Nós estávamos juntos, e nenhum de nós queria que isso mudasse.

Capítulo 10

Patas Noel

Nos primeiros dias e semanas que se seguiram ao drama em Piccadilly, Bob e eu nos agarramos um ao outro como dois sobreviventes pendurados em um bote salva-vidas no mar. Nós dois estávamos abalados pelo incidente.

Aquilo me fez pensar muito sobre nossa amizade. Por um tempo, fiquei imaginando se sua fuga havia sido um sinal de que ele queria manter alguma distância entre nós. No fundo, sabia que, se ele quisesse voltar para as ruas — ou para onde quer que tivesse vindo —, em última instância, não havia nada que eu pudesse ou devesse fazer para detê-lo.

Até pensei sobre o que deveria fazer se ele mostrasse qualquer sinal de que queria fugir novamente. Se ele fugisse e eu conseguisse pegá-lo antes que ele desaparecesse completamente, decidi que o entregaria à RSPCA ou ao Battersea Dogs and Cats Home (Lar de Cães e Gatos de Battersea), que tinham um gatil muito bom. Não queria ser seu carcereiro. Ele havia sido um amigo bom demais para mim para que eu restringisse sua liberdade. Ele não merecia isso.

Felizmente, porém, as coisas não chegaram a esse ponto.

Uma ou duas vezes desde o incidente, ele optou por não sair comigo. Quando peguei o peitoral pela manhã, ele correu para trás do sofá ou se escondeu debaixo da mesa para me dizer que não estava a fim. Eu o deixei decidir. Mas, em geral, ele ficava feliz em sair comigo todos os dias. E, quando vinha, estava um pouco diferente, mais atento a mim, mas, de uma forma estranha, também mais relaxado.

Apesar do que havia acontecido em Piccadilly Circus, ele não estava tão assustado em meio às multidões como estivera no passado, ocasionalmente. Talvez porque agora eu o trazia preso a meu cinto e mantinha um controle firme sobre sua guia quando ele estava no chão. A verdade é que penso que ele se sentia mais perto de mim agora. Nossa ligação havia sido posta à prova — e sobrevivera. Tinha a impressão de que agora ele queria ficar a meu lado mais intensamente do que nunca.

É claro, nem tudo foi um mar de rosas; ao trabalhar nas ruas de Londres, certamente haverá momentos em que você se sentirá ameaçado. Duas semanas depois que avistamos o cara estranho inflado na Piccadilly, estávamos em Covent Garden quando vimos uma trupe de artistas de rua em pernas de pau gigantes. Eram artistas performáticos franceses à moda antiga e tinham rostos realmente berrantes e assustadores.

No instante em que os viu cambaleando por ali, acima de nossas cabeças, notei que Bob se sentiu ameaçado. Ele se espremeu, ficando mais perto de mim. Estava tentando me concentrar em cantar, mas de vez em quando ele me impedia de tocar guitarra por jogar sua cauda sobre o cabo da guitarra.

— Corta essa, Bob — eu o repreendia, desculpando-me com um ou dois turistas que haviam parado para ouvir.

Claro, eles pensaram que aquilo era engraçado e fazia parte da apresentação. Como se pudesse conseguir convencer Bob a fazer o que eu quisesse tão facilmente.

Tão logo as figuras sobre pernas de pau desapareceram, a história se tornou completamente diferente, é claro. Depois que partiram, ele ficou relaxado novamente e se afastou um pouco de mim. Era como se soubesse que eu era sua rede de segurança. E estava contente por fornecê-la.

Conforme o Natal de 2007 se aproximava e nosso primeiro ano juntos chegava ao fim, nossa vida havia se constituído numa verdadeira rotina. Todas as manhãs eu me levantava e o encontrava esperando pacientemente diante de sua tigela na cozinha. Ele engolia o café da manhã e, em seguida, limpava-se, lambendo as patas e o focinho. Bob ainda era muito relutante em fazer sua toalete dentro do apartamento, e quase todas as manhãs eu o levava até o térreo para se aliviar. Em outras ocasiões, eu o deixava sair e encontrar seu próprio caminho até a grama. Ele descia as escadas e voltava novamente sem nenhum problema. Então me preparava, arrumava minha mochila, pegava minha guitarra e me dirigia para a cidade.

Faltando poucos dias para o Natal, as multidões em Covent Garden foram se tornando cada vez maiores, tais como o número de guloseimas e de presentes que Bob estava recebendo. Desde os primeiros dias, as pessoas tinham adquirido o hábito de dar pequenos presentes a ele.

O primeiro veio de uma senhora de meia-idade, que trabalhava em um escritório não muito longe da Rua James e que, regularmente, parava e conversava conosco. Ela tivera um gato alaranjado havia muitos anos e me dissera que Bob a fazia se lembrar dele.

Ela chegou certa noite com um grande sorriso no rosto e uma sacola enfeitada de um pet shop de luxo.

— Eu espero que você não se importe, mas comprei um presentinho para o Bob— disse ela.

— Claro que não — respondi.

— Não é lá grande coisa — disse ela, tirando da sacola um ratinho de pelúcia. — Tem um pouco de erva de gato nele. — Ela sorriu. — Não muito, não se preocupe.

Uma parte de mim se sentiu estranha a respeito daquilo. A erva de gato, afinal de contas, era viciante para os gatos. Eu li todos os tipos de coisas sobre como ela podia deixá-los loucos caso se tornassem viciados nela[7]. Já era ruim o suficiente *eu* tentar desesperadamente livrar-me das drogas. Não queria ver Bob desenvolvendo um hábito como esse.

Mas ela era uma senhora legal demais para ser desapontada. Ficou ali por um tempo, saboreando a visão de Bob brincando com o ratinho.

Conforme o tempo começou a piorar, as pessoas passaram a dar presentes mais práticos para Bob. Certo dia, outra senhora, uma russa de aparência impressionante, esgueirou-se sorrindo até nós.

— Espero que você não se importe, mas, com o tempo ficando mais gelado, pensei que poderia tricotar algo para o Bob, para mantê-lo aquecido — disse ela, tirando um belo cachecol de tricô azul-claro de sua bolsa a tiracolo.

— Uau! — exclamei, realmente surpreso. — Isso é ótimo.

Eu imediatamente o coloquei ao redor do pescoço de Bob. Encaixou-se perfeitamente e ficou fantástico. A senhora ficou extasiada. Ela reapareceu uma semana ou duas mais tarde com um colete azul para combinar. Eu não era especialista em moda, como qualquer pessoa que me conhecesse seria capaz de dizer em um instante, mas até eu podia ver que Bob tinha ficado incrível com ele. Logo as pessoas estavam formando fila para tirar fotos dele vestido. Eu deveria ter cobrado; teria feito uma fortuna.

Desde então, no mínimo mais seis pessoas — bem, mulheres — haviam deixado vários itens de vestuário de tricô para Bob.

Uma senhora havia até mesmo bordado "Bob" no pequeno cachecol que ela havia feito para ele. Certo dia, eu me dei conta de que Bob estava se tornando um modelo de moda. Ele estava regularmente desfilando

---

[7] Trata-se de um mito. Não há registro de que a erva de gato seja viciante. Na verdade, apenas dois terços dos gatos respondem aos efeitos causados pela nepetalactona, substância química presente na erva e responsável pela atitude do gato de se esfregar, rolar e brincar mais quando exposto a ela. (N. P.)

alguma nova criação que uma alma gentil havia feito para ele. Ele deu um novo significado à palavra "passarela".

Tudo aquilo apenas destacou o que já havia percebido: que eu não era o único que estava criando uma profunda afeição por Bob. Ele parecia fazer amizade com quase todo mundo que conhecia. Era um presente que eu mesmo gostaria de ter. Nunca achara muito fácil me relacionar com as pessoas.

Ninguém havia caído de amores por Bob tão profundamente como minha ex-namorada Belle. Nós ainda éramos amigos íntimos, provavelmente melhores amigos do que quando estávamos juntos, e ela agora aparecia no apartamento frequentemente. Em parte, ela vinha me ver e dar uma volta, mas tinha certeza de que também vinha para ver Bob. Os dois brincavam juntos no sofá por horas a fio. E ele era louco por ela, eu podia afirmar.

Foi cerca de três semanas antes do Natal que ela apareceu com uma sacola plástica na mão e um grande sorriso no rosto.

— O que você tem aí? — perguntei, sentindo que ela estava tramando algo.

— Não é para você, é para o Bob — respondeu ela, provocando-me.

Bob estava sentado em seu lugar de sempre, sob o aquecedor, mas animou-se no momento em que ouviu seu nome ser mencionado.

— Bob, venha aqui, tenho uma surpresa para você — disse Belle, caindo no sofá com a sacola.

Ele foi logo subindo ao lado dela, curioso para saber o que havia dentro. Belle tirou duas roupinhas de animais. Uma tinha apenas a foto de um gatinho bonito nela. Mas a outra era vermelha com remate verde. Tinha as palavras "Patas Noel" escritas em grandes letras brancas com a grande marca da pata de um gato logo abaixo.

— Ah, isso é muito legal, né, Bob? — disse. — É a roupa perfeita para vesti-lo quando estivermos em Covent Garden perto do Natal. Vai colocar um sorriso no rosto das pessoas, com certeza.

Ela certamente fez isso.

Não sei se era o espírito de Natal ou simplesmente o fato de o verem com a roupa, mas o efeito foi incrível. "Ah, olhe, é o Patas Noel", ouvia as pessoas dizendo quase todos os minutos. Muitas delas paravam e jogavam alguma prata no estojo da guitarra; outras, no entanto, queriam dar algo para Bob.

Em uma ocasião, uma senhora muito bem-sucedida parou e começou a arrulhar para Bob.

— Ele é fabuloso — disse ela. — O que ele gostaria de ganhar no Natal?

— Eu não sei, minha senhora — respondi.

— Bom, vamos pôr desta forma: do que ele precisa? — perguntou.

— Ele poderia ter uma guia sobressalente, eu acho. Ou algo para mantê-lo quente quando o tempo ficar muito frio. Ou só ganhar uns brinquedos. Todo menino gosta de ganhar brinquedos no Natal.

— Muito bem — disse ela, levantando-se e indo embora.

Não pensei muito sobre aquilo, mas então, cerca de uma hora depois, a senhora voltou a aparecer. Ela tinha um grande sorriso no rosto e estava carregando uma dessas meias de Natal de aparência chique e tricotada à mão, com desenhos de gato na frente. Olhei o interior e pude ver que estava recheada de presentinhos: alimentos, brinquedos e outras coisas.

— Você tem que me prometer que não vai abrir até o Natal — disse ela. — Deve mantê-la debaixo da sua árvore até a manhã de Natal.

Não tive coragem de dizer a ela que não tinha dinheiro suficiente para comprar uma árvore de Natal nem qualquer decoração no apartamento. O melhor que eu conseguira arrumar fora uma miniárvore de Natal com conexão USB, a qual eu conectara ao Xbox velho e detonado que havia encontrado recentemente em um bazar de caridade.

Nos dias que se seguiram, entretanto, tomei uma decisão. Ela estava certa. Eu deveria ter um Natal decente ao menos uma vez. Eu tinha algo para comemorar. Eu tinha Bob.

Creio que havia me tornado insensível ao Natal, pois não tinha um bom Natal havia anos. Era uma daquelas pessoas que o temiam ativamente.

Na última década, mais ou menos, passara a maior parte dos Natais em locais como o Shelter, um abrigo onde se fazia uma grande ceia de Natal para pessoas sem moradia. Era tudo muito bem-intencionado e conseguia rir uma ou duas vezes por lá. Mas aquilo apenas me fazia recordar do que eu não tinha: uma vida normal e uma família normal. Tudo apenas me lembrava que eu havia acabado com minha vida.

Uma ou duas vezes, passara o Natal sozinho, tentando esquecer o fato de que minha família estava do outro lado do mundo. Bem, uma parte dela. Em duas ocasiões, passei o dia com meu pai. Depois de haver sumido por um ano, quando acabei nas ruas, permaneci em contato, ligando para ele muito ocasionalmente, e ele me convidou para ir à sua casa no sul de Londres. Mas não foi a melhor das experiências. Ele realmente não pensava muito bem de mim. Não podia culpá-lo. Não era exatamente um filho do qual poderia se orgulhar.

Fiquei grato pelo bom almoço e pelas bebidas e, acima de tudo, por um pouco de companhia. Mas nosso encontro não foi realmente um grande sucesso, e não o repetimos mais.

No entanto, esse ano seria diferente. Convidei Belle a passar no apartamento na véspera de Natal para tomar um drinque. Então, para o dia de Natal, esbanjei dinheiro comprando um peito de peru já assado com todos os acompanhamentos. Não pretendia mesmo cozinhar, nem mesmo tinha o equipamento para isso, ainda que tivesse desejado fazê-lo. Dei para Bob algumas guloseimas muito boas, incluindo sua ração de frango favorita.

Quando chegou o dia de Natal, levantamo-nos razoavelmente cedo e saímos para um curto passeio, para que Bob pudesse fazer suas necessidades. Havia outras famílias do prédio saindo para ver parentes e amigos. Todos nós trocamos votos de "feliz Natal" e sorrisos. Mesmo isso era mais do que eu havia vivenciado em muito tempo.

De volta ao apartamento, dei a meia para Bob. Ele a tinha visto alguns dias antes e, obviamente, havia adivinhado que era para si. Esvaziei o conteúdo item a item. Havia guloseimas, brinquedos, bolas e pequenas coisas macias contendo erva de gatos. Ele simplesmente amou tudo aquilo e foi logo brincando com seus brinquedos novos, como uma criança entusiasmada na manhã de Natal. Foi adorável.

Fiz nosso almoço no início da tarde e, depois, coloquei um chapéu em cada um de nós, peguei uma lata de cerveja e vimos televisão pelo restante da tarde e noite afora. Foi o melhor Natal que tive em anos.

Capítulo 11

Identidade Trocada

Na primavera e no verão de 2008, ser um artista de rua nas ruas de Londres estava se tornando cada vez mais difícil, quase impossível às vezes.

Havia algumas razões. Sei que as pessoas assumem que a economia não afeta o povo nas ruas, mas isso realmente não é verdade. A recessão — que a essa altura estava apenas se estruturando — havia me atingido e também as pessoas em minha posição de forma bastante dura. Aquelas de bom coração, que não costumavam fazer caso em jogar uma libra ou duas para mim e para Bob, agora estavam segurando seu dinheiro. Uma ou duas das regulares até me disseram isso. Afirmaram que estavam preocupadas em perder seus empregos. Realmente não podia discutir com elas. Então, como resultado, frequentemente estava tendo que trabalhar muitas horas a mais, e ainda assim conseguia menos dinheiro para me alimentar e também Bob e nos manter aquecidos.

Podia viver com isso, mas o maior problema era o fato de que as autoridades começaram a agir duramente com artistas de rua que não trabalhavam nos locais designados. Não entendia por que decidiram fazer aquilo, especialmente agora, mas sabia que isso havia tornado a minha vida uma verdadeira dor de cabeça.

A maioria dos Guardiões de Covent sempre havia sido razoável. Tivera problemas com o mais agressivo deles, mas em geral nunca pegaram pesado comigo. Porém, até mesmo eles começaram a confiscar materiais se sentiam que não estávamos levando a sério o que diziam. Não creio que tivessem quaisquer novas competências. Alguma autoridade devia ter-lhes dito que levassem mais a sério o que estavam fazendo.

Havia também algumas caras novas entre eles. Um dos mais agressivos dos recém-chegados ameaçou tirar minha guitarra duas vezes. Consegui dissuadi-lo com a promessa de tocar em uma área designada — ou sair do bairro. Então, serpenteei pela esquina por meia hora antes de voltar à Rua James.

Tornou-se um jogo constante de esconde-esconde, mas estava ficando sem lugares para me esconder. Os novos Guardiões pareciam saber para onde eu ia. Na maioria dos dias, faziam com que eu me mudasse ou falavam comigo em algum momento. Aquilo estava me cansando. No fundo, sabia que meu tempo como cantor de rua estava chegando ao fim. A gota que entornou o caldo caiu numa tarde em maio daquele ano.

Outra das razões pelas quais as apresentações de rua se tornaram particularmente difíceis para mim foi a equipe da estação de metrô em Covent Garden. A vibração ruim que eu estava recebendo deles se tornou cada vez mais desagradável. Não sei por que, mas não queriam que eu me apresentasse por lá. Havia agora vários inspetores de passagens que, regularmente, passeavam na rua em frente à entrada da estação de metrô e me diziam uma porção de desaforos.

Eu podia lidar com isso. Estava bem acostumado. Mas eles definitivamente conversaram sobre mim e chegaram a algum tipo de plano para fazer uma campanha contra mim. De vez em quando, chamavam a Polícia do Transporte Britânico, que surgia de repente e me causava problemas. Como se eu precisasse de mais algum. Aprendi a lidar com eles da mesma forma como fazia com as demais autoridades: saía dali, prometendo nunca mais aparecer na porta deles, e depois me esgueirava de volta para o mesmo lugar quando a barra estava livre.

Eu não via mal algum no que estava fazendo. Ninguém estava se machucando, estava?

Tudo isso mudou em uma tarde.

Fui para Covent Garden com Bob, como de costume. Tinha um amigo que ficava comigo naquela época, um cara chamado Dylan, que eu conhecera quando estava com a banda. Ele havia sido expulso de seu alojamento anterior quando se recusara a pagar um novo valor de aluguel exorbitante para algum proprietário sem escrúpulos. Ele precisava de um chão para dormir por algumas semanas. Já havia passado por isso, então não podia recusar. Ele passou a dormir em meu sofá.

Bob não havia encarado com muita gentileza a chegada de Dylan no começo. Creio que ele sentira que perderia meu afeto. Mas, assim que percebeu que Dylan era, na verdade, outro amante de animais, descobriu que ganharia ainda mais atenção e ficou muito bem. Bob se esbaldou em atenção.

Naquela tarde em particular, Dylan decidiu que viria para o centro de Londres conosco e passaria um tempo em Covent Garden. Estava um dia lindo e ensolarado e ele queria aproveitar. Ficou brincando com Bob enquanto eu me organizava na esquina da Rua James. Olhando em retrospecto, não posso acreditar na sorte que tivemos por ele estar lá.

Eu mal havia colocado a correia da guitarra por cima do ombro quando um furgão da Polícia do Transporte Britânico chegou em alta velocidade e parou ao lado da calçada. Três oficiais saltaram e imediatamente começaram a caminhar em minha direção.

— O que está acontecendo? — Dylan disse.

— Não sei. Mais das coisas de sempre — disse eu, esperando ter que passar pelo show costumeiro de prometer me afastar.

Eu estava errado.

— Certo, você vem com a gente — disse um dos oficiais, apontando para mim.

— Para quê? — perguntei.

— Nós o estamos prendendo por suspeita de comportamento ameaçador.

— O quê? Ameaçando quem? Eu não sei que diabo...

Antes que eu pudesse terminar minha frase, eles já haviam me agarrado. Enquanto um deles lia meus direitos, outro me algemava.

— Vamos explicar na delegacia. Vamos pegar suas tralhas e entrar na van antes que tenhamos que tornar as coisas ainda piores para você — disse ele.

— E meu gato? — disse, apontando para Bob.

— Nós temos alguns canis na delegacia, vamos colocá-lo lá — disse outro dos oficiais. — A menos que você tenha alguém para ficar com ele.

Minha cabeça estava girando. Não tinha ideia do que estava acontecendo. Mas, então, com o canto do olho, vi Dylan. Ele parecia envergonhado e não queria se envolver.

— Dylan, você pode cuidar do Bob? — pedi. — Leve-o de volta para o apartamento. As chaves estão na minha mochila.

Ele balançou a cabeça e começou a se mover em direção a Bob. Eu o vi levantá-lo nos braços e tranquilizá-lo. Notei a expressão no rosto de Bob; ficou apavorado com o que estava acontecendo comigo. Através das grades da janela na parte de trás do furgão, observei enquanto as figuras de Dylan e Bob, parados na calçada, desapareciam de vista.

Fomos para a delegacia da Polícia do Transporte Britânico. Ainda não tinha ideia do que estava acontecendo.

Em poucos minutos, estava diante de uma mesa sendo solicitado a esvaziar todos os bolsos e a responder a todo tipo de perguntas. Fui, então, levado para uma cela, onde me mandaram esperar até que eu fosse abordado por um oficial. Enquanto permaneci sentado na cela vazia, com as paredes repletas de pichações e o piso cheirando a urina velha, memórias terríveis inundaram minha mente.

Havia tido desentendimentos com a polícia antes, principalmente por pequenos furtos.

Quando não se tem uma casa ou se usa drogas, tenta-se encontrar jeitos fáceis de obter dinheiro. E, para ser honesto, poucas coisas são mais fáceis do que o furto. Minha ação principal era roubar carne. Eu roubava pernis de cordeiro e filés caros. Bifes Jamie Oliver. Bifes de cordeiro. Peças de presunto cozido. Nunca frango, frango tem um valor muito baixo. Eu roubava aquilo que tinha o preço mais alto. O que eu conseguia era a metade do preço na etiqueta. Se fosse a um pub e vendesse o material, era isso que eu podia esperar receber. Pubs são um terreno muito sólido para a venda de bens roubados. Todo mundo sabe disso.

A primeira vez que fiz isso para pagar meu vício foi em 2001 ou 2002, algo assim. Antes disso, estava pedindo esmolas para alimentar o hábito. E antes *disso* estava fazendo um tratamento com metadona. Fiquei limpo, mas depois comecei a usar drogas de novo, porque as coisas estavam ruins. Tinha sido levado para alguma acomodação suspeita onde todos estavam usando drogas e havia caído novamente nos maus hábitos.

Ainda me lembro da primeira vez em que fui preso. Foi no Marks and Spencer's, no Angel, em Islington. Costumava vestir-me elegantemente e amarrar o cabelo para trás, parecendo um carteiro no final de suas rondas diárias, passando rapidamente para comprar um lanche ou um litro de leite a caminho de casa. Era tudo uma questão de aparência. Você tinha que ser esperto quanto a isso. Se eu entrasse com uma mochila ou uma sacola de compras, nunca teria chance. Eu carregava uma bolsa oficial de carteiro comigo. Hoje em dia é diferente, mas na época ninguém olhava duas vezes para você se tivesse uma daquelas bolsas pendurada no ombro.

De qualquer forma, fui parado um dia. Tinha carnes comigo no valor de 120 libras. Fui levado sob custódia até a polícia. Na época, eles me deram uma multa de oito libras por roubo. Tive a sorte de conseguir aquela punição, porque era minha primeira vez.

É claro que aquilo não me fez parar. Eu possuía um vício. Tinha que fazer o que tinha que fazer. Eu usava heroína e, ocasionalmente, um pouco de crack. Assumi o risco. Tinha que assumir.

Quando você é preso, é uma porcaria. Mas tem que encarar a dor. É claro, você fica um tempo sentindo pena de si mesmo, mas não luta contra os poderes constituídos.

Você tenta sair daquilo, inventa mentiras, mas eles não acreditam em você. Nunca acreditam de verdade. É um círculo vicioso quando você está nessa posição.

Por isso é que as apresentações de rua eram tão importantes para mim. Eram dentro da lei. E me mantiveram limpo. Mas, agora, ali estava eu de volta à prisão. Sentia como se tivesse recebido um verdadeiro chute no estômago.

Fiquei na cela por cerca de meia hora, quando a porta se abriu de repente e um oficial de camisa branca me conduziu para fora.

— Vamos lá — disse ele.

— Para onde você está me levando agora? — perguntei.

— Você vai ver — disse ele.

Fui conduzido para uma sala vazia com algumas cadeiras de plástico e uma única mesa. Havia dois policiais sentados à minha frente. Eles pareciam desinteressados, para ser honesto. Mas, então, um deles começou a me questionar.

— Onde você estava ontem à noite por volta das 6h30 da tarde? — perguntou.

— Hã, eu estava cantando em Covent Garden — respondi.

— Onde?

— Na esquina da Rua James, em frente à entrada do metrô — respondi novamente, o que era verdade.

— Você entrou na estação de metrô em algum momento naquela noite? — o carcereiro perguntou.

— Não, eu nunca entro lá — disse. — Eu ando de ônibus.

— Bem, como é que nós temos pelo menos duas testemunhas que dizem que você estava na estação e agrediu verbalmente e cuspiu em uma atendente de bilheteria?

— Eu não faço a mínima ideia — afirmei, confuso.

— Eles viram você subir pela escada rolante do metrô e tentar passar pela barreira automática, sem um bilhete.

— Bem, como eu disse, não pode ter sido eu — retorqui.

— Quando foi desafiado, você agrediu verbalmente um membro feminino da equipe.

Fiquei ali balançando a cabeça. Aquilo era surreal.

— Você então foi levado até a cabine da bilheteria e orientado a comprar um bilhete — ele continuou. — Quando você fez isso, contra sua vontade, você cuspiu na janela da cabine da bilheteria.

Já era demais. Eu perdi a calma.

— Olha, isso é mentira — disse eu. — Eu disse que não estava na estação de metrô na noite passada. Eu nunca entro lá. E nunca ando de metrô. Eu e meu gato vamos a todos os lugares de ônibus.

Eles apenas me fitaram, como se estivesse dizendo as maiores mentiras do mundo.

Perguntaram se eu queria fazer uma declaração, então fiz, explicando que estivera fazendo apresentações de rua a noite toda. Sabia que as imagens do circuito interno de TV confirmariam o que eu dizia. Mas, no fundo de minha mente, estava tendo todos os tipos de pensamentos paranoicos.

E se tudo aquilo fosse uma armação? E se eles tivessem adulterado as imagens do circuito interno na estação de metrô? E se eu fosse levado ao tribunal e fosse minha palavra contra a de três ou quatro funcionários do metrô de Londres?

O pior de tudo, eu me peguei imaginando ansiosamente o que aconteceria com Bob. Quem cuidaria dele? Ele ficaria com essa pessoa ou voltaria para as ruas? E o que aconteceria com ele lá? Pensar sobre isso fez minha cabeça pirar.

Eles me mantiveram ali por mais duas ou três horas. Depois, perdi a noção do tempo. Não havia luz natural na sala, por isso não tinha ideia de se era dia ou noite lá fora. Em certo ponto, uma policial entrou com um oficial de aparência mal-humorada atrás de si.

— Eu preciso fazer um teste de DNA — disse ela enquanto ele se posicionou no canto, onde ficou com os braços cruzados, olhando para mim.

— Ok — disse, ignorando-o. Percebi que não tinha nada a perder. — O que preciso fazer? — perguntei à policial.

— Basta sentar-se ali e eu vou tirar uma mostra de saliva de sua boca com um cotonete — disse ela.

Ela pegou um pequeno kit com dezenas de cotonetes e tubos de ensaio. De repente, senti como se estivesse no dentista.

— Abra bem — disse ela.

Ela, então, enfiou uma longa haste de algodão em minha boca, raspou um pouco por todo o interior de minha bochecha e acabou.

— Pronto — disse ela, colocando a haste em um tubo de ensaio e guardando seu material.

Finalmente, fui tirado da cela e levado de volta para a mesa na frente da delegacia, onde assinei um documento para reaver minhas coisas. Tive que assinar também um termo dizendo que estava solto sob fiança e precisava retornar dali a dois dias.

— Quando vou saber se estou sendo formalmente acusado? — perguntei ao oficial de serviço, suspeitando que ele não poderia realmente me informar sobre aquilo.

Para minha surpresa, ele disse que provavelmente eu saberia quando voltasse dentro de dois dias.

— Sério? — indaguei.

— É mais do que provável — afirmou.

Aquilo era bom e ruim, decidi imediatamente. Bom no sentido de que não teria que esperar meses para saber se seria acusado. Ruim no sentido de que, se iam me acusar, poderia acabar passando um tempo na prisão muito em breve.

Realmente não apreciava essa perspectiva.

Depois de finalmente ser solto, saí para as ruas atrás da Rua Warren na escuridão. Já havia pequenos grupos de moradores de rua entrincheirando-se para passar a noite, escondendo-se em becos afastados.

Já se aproximava das 23 horas. Quando voltei para a estação de metrô Seven Sisters, já era perto da meia-noite e as ruas estavam cheias de bêbados e de pessoas sendo enxotadas dos pubs.

Dei um enorme suspiro de alívio quando entrei no apartamento. Dylan estava assistindo à televisão com Bob enrolado em seu lugar de sempre sob o aquecedor. No minuto em que entrei pela porta, ele saltou e caminhou para mim, inclinando a cabeça para um lado e me olhando.

— Olá, amigo, você está bem? — eu disse, caindo de joelhos e acariciando-o.

Ele imediatamente subiu em meu joelho e começou a se esfregar em meu rosto.

Dylan havia ido para a cozinha, mas logo reapareceu com uma lata de cerveja gelada do refrigerador.

— Isso é um salva-vidas, obrigado — disse, abrindo a lata e tomando um gole de cerveja gelada.

Sentei-me por algumas horas com Dylan, tentando entender o que havia acontecido comigo. Sabia que os coletores de bilhete na estação de metrô em Covent Garden não gostavam de mim — mas não acreditava que eles iriam tão longe a ponto de tentar me enquadrar por um crime que eu não cometera.

— Não há como eles alterarem o DNA para combinar com o seu, companheiro — Dylan me tranquilizou.

Eu desejava poder estar tão certo disso como ele.

Não dormi bem naquela noite. Realmente ficara abalado pela experiência. Não importava quanto eu tentasse dizer a mim mesmo que tudo daria certo, pois não podia apagar o pensamento de que minha vida podia estar prestes a tomar um rumo terrível. Eu me sentia impotente, com raiva — e com muito medo.

Decidi ficar bem distante de Covent Garden no dia seguinte. Bob e eu tocamos na Rua Neal e em um ou dois outros lugares no sentido da Estrada Tottenham Court. Mas meu coração não estava ali. Estava muito preocupado com o que aconteceria quando voltasse à delegacia no dia seguinte. Naquela noite, mais uma vez, lutei para conseguir dormir um pouco.

Eu devia me apresentar na delegacia da Polícia do Transporte ao meio-dia, mas parti cedo para me certificar de que estaria lá na hora. Eu não queria lhes dar pretextos. Deixei Bob em casa — apenas para o caso de eu ser mantido lá por várias horas novamente. Ele captou minha ansiedade enquanto eu andava pelo apartamento comendo minha torrada no café da manhã.

— Não se preocupe, companheiro, vou estar de volta antes que você perceba — confortei-o enquanto saía. Se eu apenas estivesse tão confiante naquilo como soei...

Levei um tempo para encontrar a delegacia, que ficava escondida em uma rua de circulação reduzida que saía da Estrada Tottenham Court. Havia chegado lá na parte de trás de um furgão e partira depois de escurecer, por isso não era de estranhar que tivesse dificuldade em encontrá-la.

Quando a localizei, tive que me sentar e esperar por 20 minutos, durante os quais achei difícil me concentrar em algo. Acabei sendo chamado para uma sala onde dois oficiais estavam me esperando, um homem e uma mulher mais jovem.

Eles tinham arquivos diante de si, o que parecia ameaçador. Eu me perguntei o que haviam desenterrado sobre meu passado. Só Deus sabe quais esqueletos estavam escondidos naquele armário em especial.

O homem foi o primeiro a falar. Disse que eu não seria acusado do crime de emprego de comportamento ameaçador. Imaginei a razão disso.

— O DNA não combinou com a saliva na cabine do cobrador, né? — indaguei, sentindo-me subitamente capacitado pelo que ele me disse.

Ele apenas olhou para mim com um sorriso apertado. Ele não podia dizer nada, eu sabia disso. Mas não precisava. Para mim, pareceu óbvio que alguém na estação de metrô havia tentado me enquadrar, mas tinha falhado.

Se essa era a boa notícia, a má não demorou a chegar.

A mulher me disse que eu estava sendo acusado de fazer shows de rua ilegalmente, ou "divulgando por recompensa", para usar o título formal. Eles empurraram um pedaço de papel para mim e disseram que eu deveria me reportar ao tribunal em uma semana.

Saí aliviado da delegacia. "Divulgar por recompensa" era uma infração relativamente menor, especialmente em comparação com comportamento ameaçador. Se tivesse sorte, sairia com uma pequena multa e um safanão, nada mais.

Comportamento ameaçador teria sido um assunto completamente diferente, é claro. Isso teria me deixado suscetível a uma punição pesada, talvez até mesmo à prisão. Eu conseguira sair ileso.

Parte de mim queria lutar contra a injustiça do que havia acontecido comigo. A descrição da pessoa que cuspira na janela não tinha relação com a minha aparência. Eu me agarrei à papelada e pensei que poderia processá-los por prisão ilegal.

Mas, para ser honesto, o principal pensamento em minha mente enquanto me dirigia para casa naquela tarde era de alívio, além de uma sensação de que havia virado alguma espécie de esquina. Ainda não tinha certeza de qual era.

Ainda precisava passar pela audiência. Fui para o centro local do Conselho dos Cidadãos, um lugar para aconselhamento gratuito, e recebi algum aconselhamento jurídico. Provavelmente deveria ter feito isso antes, mas estivera muito confuso para pensar a respeito.

Descobri que, como estava em um programa de reabilitação de drogas e vivendo em acomodação subvencionada, poderia receber auxílio judiciário. Mas a verdade era que não acreditava que precisasse de um advogado me representando no tribunal. Por isso simplesmente pedi alguns conselhos sobre o que dizer.

Era tudo muito simples. Precisava me postar diante do juiz e admitir que era culpado de fazer apresentações de rua: pura e simplesmente. Tinha apenas que acompanhar, pleitear adequadamente e esperar que o magistrado não fosse nenhum tipo de sádico com ódio de músicos de rua.

Quando chegou o dia, coloquei uma camisa limpa (por cima de uma camiseta com o slogan *Extremamente infeliz*) e fiz a barba antes de ir para o tribunal. A sala de espera estava cheia de todos os tipos de pessoas, desde alguns caras de aparência realmente assustadora, com cabeças raspadas e sotaque do Leste europeu, até dois caras de meia--idade trajando terno cinza, que estavam ali por crimes de direção.

— James Bowen. O tribunal chama James Bowen — uma voz de sonoridade suave finalmente anunciou. Respirei fundo e entrei.

Os magistrados olharam para mim como se eu fosse um monte de poeira que houvesse entrado, vindo da rua. Mas, sob a lei, não havia muito que pudesse fazer quanto a mim, especialmente porque aquela era minha primeira infração por apresentação de rua.

Consegui três meses de liberdade condicional. Não fui multado.

Mas eles deixaram claro que, se eu reincidisse, poderia enfrentar uma multa — ou pior.

Belle e Bob estavam esperando por mim do lado de fora do tribunal depois que a audiência acabou. Bob pulou do colo dela imediatamente e se aproximou de mim. Ele não queria ser muito melodramático, mas estava claro que ficara feliz em me ver.

— Como foi lá? — Belle perguntou.

— Três meses de liberdade condicional, mas, se for pego de novo, poderei receber uma pena pior — respondi.

— E então, o que você vai fazer? — ela perguntou.

Olhei para ela e, em seguida, para Bob. A resposta devia estar escrita em meu rosto.

Havia chegado ao fim da estrada. Vinha fazendo apresentações intermitentes havia quase uma década. Os tempos mudaram — e minha vida havia mudado, com certeza desde que Bob havia entrado nela. Estava se tornando mais e mais claro para mim que não podia continuar fazendo apresentações de rua, o que não fazia nenhum sentido, em nenhum nível. Houvera momentos em que não fora capaz de ganhar dinheiro suficiente para bancar as despesas. Houvera momentos em que elas me colocaram — e, mais importante, Bob — em situações perigosas. E agora havia um perigo real de que, se fosse pego tocando na rua em lugar indevido novamente, poderia ser jogado na prisão. Simplesmente não valia a pena.

— Eu não sei o que vou fazer, Belle — disse. — Mas a única coisa que sei que não vou fazer é continuar tocando na rua.

Capítulo 12

Número 683

Minha cabeça ficou dando voltas nos dias que se seguiram. Eu me senti uma verdadeira mistura de emoções.

Parte de mim ainda estava irritada com a injustiça do que havia acontecido. Senti como se tivesse perdido meu sustento, simplesmente porque algumas pessoas haviam começado a implicar comigo. Ao mesmo tempo, no entanto, outra parte de mim começou a ver que aquilo poderia ter sido uma bênção disfarçada.

No fundo, sabia que não poderia continuar me apresentando por toda a vida. Não mudaria minha vida cantando as músicas de Johnny Cash e do Oasis nas esquinas. Não desenvolveria a força para me tornar totalmente limpo confiando em minha guitarra. Começou a crescer em mim a percepção de que estava em uma grande encruzilhada e tinha a oportunidade de colocar o passado para trás. Já havia estado ali antes, mas, pela primeira vez em anos, senti como se estivesse pronto para fazer isso.

Isso tudo era muito bonito na teoria, é claro. Mas também sabia a verdade brutal: minhas opções eram bastante limitadas. Como ganharia dinheiro agora? Ninguém me daria um emprego.

Não porque eu fosse um idiota; sabia disso. Graças ao trabalho com informática que havia feito na Austrália quando adolescente, eu era bastante experiente quando se tratava de computadores. Passara tanto tempo quanto possível usando laptops de amigos ou computadores gratuitos na biblioteca local e aprendera um pouco sobre o assunto. Mas não tinha nenhuma ou experiência relevante no Reino Unido em que me apoiar. Quando um empregador me perguntou onde havia passado os últimos dez anos, não pude dizer exatamente que estivera trabalhando para o Google ou a Microsoft. Então, tive que esquecer o assunto.

Não havia nem mesmo razão para me candidatar a um estágio em computação, pois não me aceitariam. Oficialmente, ainda estava em um programa de reabilitação de drogas. Estava vivendo em residência subvencionada e nem mesmo tinha um certificado de conclusão do nível escolar secundário. Não tinha nada a oferecer para que alguém quisesse — e até mesmo pudesse — ter-me por perto. Por tudo isso, não tinha nenhuma chance quando se tratava de conseguir um emprego normal. O que quer que fosse normal.

Percebi rapidamente que havia apenas uma alternativa realista. Não podia me dar ao luxo de esperar que algo aparecesse. Precisava ganhar dinheiro para cuidar de mim e de Bob. Assim, dois dias após a audiência, parti com Bob para Covent Garden — pela primeira vez em anos, sem minha guitarra nas costas. Quando cheguei à praça, fui direto até o local onde sabia que provavelmente encontraria uma garota chamada Sam, coordenadora da *Big Issue* naquela área, uma revista profissional vendida por pessoas sem moradia, cuja renda também se destinava a ajudá-las.

Já havia tentado vender a *Big Issue* antes, em 1998 e 1999, quando acabara vivendo nas ruas pela primeira vez. Eu me julgara capaz e trabalhara nas ruas próximas a Charing Cross e Trafalgar Square. Não dera certo. Levara menos de um ano para que eu desistisse.

Eu ainda podia me lembrar de como era difícil.

Quando estava vendendo a *Big Issue*, muitas pessoas costumavam vir até mim e rosnar “arranje um emprego”. Aquilo costumava me chatear de verdade. Elas não percebiam que vender a *Big Issue* é um trabalho. De fato, ser um vendedor da *Big Issue* significa efetivamente que você está tocando seu próprio negócio. Quando estava vendendo a revista, tinha despesas gerais. Tinha que comprar cópias para vender. Assim, a cada vez que eu aparecia no estande da coordenadora, precisava ter pelo menos algumas libras para comprar exemplares da revista. O velho ditado é tão verdadeiro para vendedores da *Big Issue* como para qualquer outra pessoa: você tem que ter dinheiro para ganhar dinheiro.

Muitas pessoas pensam que é um trabalho de caridade completo e que eles dão as revistas gratuitamente para os vendedores. Isso realmente não é verdade. Se fosse, as pessoas venderiam muito mais do que vendiam. A filosofia da *Big Issue* é que ela está ajudando as pessoas a se ajudarem. Mas, naquela época, não tinha certeza de se queria alguma ajuda. Não estava pronto para isso.

Ainda podia me lembrar de alguns dias sombrios e deprimentes que passara sentado em um banco molhado numa esquina, sob o vento frio, tentando convencer e persuadir os londrinos a dar seu dinheiro em troca de uma revista. Era muito difícil, especialmente porque, naquela época, minha vida ainda era governada pelas drogas. Tudo o que eu normalmente conseguia para enfrentar meu problema era uma bocado de agressão ou um chute nas costelas.

Acima de tudo, aquilo tinha sido difícil porque eu era invisível. A maioria das pessoas nem sequer me informava as horas se eu perguntasse. Faziam todo o possível para me evitar, na verdade. Por isso eu me voltara para as apresentações de rua; pelo menos, então, tinha minha música para atrair a atenção das pessoas e deixá-las saber que era, na verdade, um ser vivo. E, mesmo assim, a maioria delas me ignorava.

Eu não teria considerado voltar a vender a *Big Issue* se não fosse por Bob. A maneira como ele transformara minha sorte — e meu espírito — nas ruas havia sido incrível. Se as coisas pudessem correr tão bem com as vendas da *Big Issue* como havia sido com as apresentações de rua com Bob, então, talvez eu pudesse dar esse grande passo adiante. É claro que havia apenas um problema: tinha que os convencer a me aceitar em primeiro lugar.

Encontrei Sam no local onde os vendedores da *Big Issue* naquela área se reuniam para comprar as revistas, em uma rua lateral que saía da praça principal de Covent Garden. Havia alguns vendedores lá, todos homens. Reconheci um ou dois rostos. Um deles era um cara chamado Steve, que eu sabia que era motorista da revista. Eu já o havia visto por ali, fazendo entregas às segundas-feiras, quando saíam as novas edições.

Nós registráramos a presença um do outro na região de Covent Garden algumas vezes e éramos um pouco cautelosos um com o outro. Tive a nítida impressão de que ele não estava muito feliz em me ver, mas não me importei. Não tinha vindo para vê-lo; era com Sam que eu precisava falar.

— Oi, você dois não estão cantando hoje? — disse ela, reconhecendo-me e fazendo um afago em Bob.

— Não, eu vou ter que parar de fazer isso — disse eu. — Uns problemas com a polícia. Se for pego tocando ilegalmente outra vez, vou ficar encrencado. Não posso arriscar, agora que tenho Bob para cuidar. Posso, companheiro?

— Ok — disse Sam, com seu rosto imediatamente sinalizando que ela podia antever o que estava por vir.

— Então — continuei, balançando para cima e para baixo em meus calcanhares —, eu estava pensando...

Sam sorriu e me cortou.

— Bom, tudo depende de você cumprir ou não os critérios — disse ela.

— Ah, sim, eu cumpro — respondi, sabendo que, como uma pessoa que vivia em "habitação vulnerável", como se dizia, eu era elegível para vender a revista.

— Mas você vai ter que passar por toda a burocracia e ir até Vauxhall para se inscrever — disse ela.

— Certo.

— Sabe onde ficam os escritórios? — indagou, estendendo a mão para pegar um cartão.

— Não tenho certeza — respondi. Tinha certeza de que os escritórios eram em outro lugar quando havia me inscrito anos antes.

— Tome um ônibus para Vauxhall e desça próximo à estação de trem. Fica do outro lado da estrada, não muito longe do rio, no sistema de mão única — disse ela. — Depois que for aprovado, é só voltar aqui e falar comigo e podemos tocar em frente.

Peguei o cartão e fui para casa com Bob.

— É melhor nos arrumarmos, Bob — disse eu. — Nós vamos para uma entrevista de emprego.

Eu precisava conseguir alguns documentos antes que pudesse ir até o escritório da *Big Issue*. Por isso, no dia seguinte, fui ver minha assistente de moradia. De qualquer forma, deveria vê-la regularmente. Expliquei minha situação atual e o que havia acontecido com a Polícia do Transporte. Ela ficou feliz em me dar uma carta dizendo que eu estava vivendo em "habitação vulnerável" e que a venda da *Big Issue* seria uma boa forma de me ajudar a conseguir reconstruir minha vida novamente.

No dia seguinte, arrumei-me de modo a parecer respeitável, amarrei o cabelo atrás, vesti uma camisa decente e parti para Vauxhall com todos os documentos de que precisava.

Também levei Bob comigo. Parte de meu pensamento era de que ele poderia me ajudar a vender revistas da mesma maneira que me ajudara a ganhar dinheiro com as apresentações de rua. Ele seria parte de minha equipe, então queria fazer com que ele também fosse registrado, se isso fosse possível.

Os escritórios da *Big Issue* ficavam em um bloco de escritórios de aparência comum, na margem sul do Tâmisa, perto da ponte Vauxhall e do prédio do MI6.

A primeira coisa que notei quando cheguei à recepção foi uma grande placa dizendo "Cães não são permitidos". Aparentemente, eles costumavam deixar que cães entrassem, mas os proibiram quando muitos cães começaram a brigar uns com os outros. A placa não dizia nada sobre gatos, no entanto.

Depois de preencher alguns papéis, disseram-me para sentar e aguardar. Após algum tempo, fui chamado para uma entrevista com um rapaz em um dos escritórios. Ele era um cara decente, e conversamos por um tempo. Ele mesmo estivera nas ruas alguns anos atrás e usara a *Big Issue* como um trampolim para ajudá-lo a reconstruir sua vida.

Expliquei minha situação. Ele foi compreensivo.

— Eu sei como é lá fora, James, acredite em mim — disse ele.

Tudo levou apenas alguns minutos antes que ele fizesse um sinal de positivo para mim e me dissesse para seguir e me inscrever em outro escritório.

Tive que tirar uma foto e depois esperar para receber um crachá laminado contendo meu número de vendedor. Perguntei ao cara que estava emitindo os crachás se Bob poderia receber um cartão de identificação também.

— Desculpe — disse ele, balançando a cabeça. — Animais de estimação não são autorizados a ter seus próprios crachás. Nós fazíamos isso antes com cães. Mas nunca com um gato.

— Bom, e se ele sair na foto comigo? — perguntei.

Ele fez uma careta, como se dissesse "não tenho certeza disso". Mas, no fim, cedeu.

— Vai nessa, então — respondeu.

— Sorria, Bob — eu disse quando nos sentamos diante da câmera.

Enquanto esperava que a foto fosse revelada, o cara prosseguiu com o restante do processo de registro. Quando você se torna um vendedor da *Big Issue*, um número aleatório é atribuído a você. Eles não são emitidos em sequência. Se os fizessem em sequência, os números estariam agora na casa dos milhares, porque muitas pessoas já se inscreveram para vender a *Big Issue* ao longo dos anos e depois, simplesmente, desapareceram da face da terra. Então, quando alguém deixa de figurar nos registros por certo tempo, o número volta novamente a ser posto em circulação. Eles precisam fazer isso.

Depois de esperar cerca de 15 minutos, o cara reapareceu na mesa.

— Aqui está, Sr. Bowen — disse ele, entregando-me o crachá laminado.

Não pude deixar de abrir um grande sorriso para a foto. Bob estava a meu lado esquerdo. Nós éramos um time. Vendedores da *Big Issue* Número 683.

Foi uma longa viagem de volta até Tottenham, envolvendo dois ônibus. Assim, passei os cerca de 90 minutos de duração da viagem lendo o pequeno livro que me deram. Havia lido algo semelhante dez anos antes, mas realmente não havia absorvido nada daquilo. Para ser honesto, não havia levado nada a sério. Também estivera distante daquilo por um longo tempo. Dessa vez, estava determinado a trabalhar seriamente.

O livro começava com a filosofia principal da revista:

"A *Big Issue* existe para oferecer às pessoas em condições de habitação vulnerável a oportunidade de obter uma renda legítima vendendo uma revista para o público em geral. Acreditamos em oferecer auxílio, não caridade, e em permitir que as pessoas assumam o controle de suas vidas".

Isso é exatamente o que eu quero, disse a mim mesmo, *auxílio. E dessa vez vou aceitá-lo.*

O próximo trecho afirmava que eu deveria "passar por um processo de indução e aderir ao código de conduta". Sabia que a primeira parte significava que teria que trabalhar em um "campo de experimentação" — onde meu desempenho seria observado e avaliado pelos organizadores locais.

Se tudo corresse bem, seria alocado em um ponto fixo, o livro continuava. Também ganharia dez exemplares gratuitos da revista para poder começar. O livro deixava claro que, depois disso, seria por minha conta. "Uma vez que eles tenham vendido essas revistas, podem adquirir mais volumes, os quais são comprados por uma libra e vendidos por duas, lucrando, dessa forma, uma libra por volume."

As regras continuavam explicando que os vendedores eram empregados pela *Big Issue*. "Nós não reembolsamos os vendedores pelas revistas que eles não conseguem vender. Portanto, cada indivíduo deve gerenciar suas vendas e finanças com cuidado. Essas habilidades, com a confiança e a autoestima desenvolvida com a venda da revista, são cruciais para ajudar as pessoas sem moradia a se reintegrarem na sociedade."

Aquela era a economia simples do negócio. Mas havia muito mais coisas envolvidas, como eu logo descobriria.

Na manhã seguinte, voltei até Covent Garden para encontrar-me com Sam, a coordenadora. Estava ansioso para começar com minha "experiência".

— Deu tudo certo em Vauxhall? — ela perguntou quando Bob e eu nos aproximamos dela.

— Acho que sim. Eles me deram um destes — sorri, mostrando, orgulhoso, meu crachá laminado por baixo do casaco.

— Ótimo — disse Sam, sorrindo ao ver a foto de Bob e eu. — Acho melhor você começar então. — Ela começou a contar meus dez exemplares gratuitos da revista. — Aqui estão eles — disse. — Você sabe que vai ter que os comprar depois?

— É, eu sei — respondi.

Por alguns minutos, ela estudou uma folha de papel.

— Só estou tentando descobrir onde definir seu campo experimental — disse ela, desculpando-se.

Alguns instantes depois, percebi que ela teve uma ideia.

— Encontrou algum lugar? — indaguei, sentindo-me bastante animado com aquilo.

— Acho que sim — disse Sam. Eu não pude acreditar no que ela disse a seguir: — Certo, vamos definir seu campo de treinamento bem aqui — disse ela, apontando na direção da estação de metrô de Covent Garden, alguns metros mais acima na Rua James.

Não pude fazer nada a não ser estourar de rir.

— Você está bem? Algum problema? — ela perguntou, parecendo confusa. — Eu posso verificar se há algum outro lugar disponível.

— Não, não tem problema algum — disse eu. — Vai ser ótimo. Uma verdadeira viagem no tempo. Vou começar imediatamente.

Não perdi tempo e me organizei imediatamente. Já estávamos no meio da manhã, algumas horas antes do horário em que costumava me arrumar para as apresentações de rua, mas havia muitas pessoas circulando por ali, principalmente turistas. Era uma manhã brilhante, ensolarada, o que, eu sabia por experiência, sempre deixava as pessoas com uma disposição melhor e mais generosa.

Quando estava tocando na rua, sempre sentira como se estivesse encarando o descontentamento das autoridades por ficar ali. Vender a *Big Issue* trazia uma perspectiva totalmente diferente. Estava oficialmente licenciado para estar ali. Então, postei-me tão perto da estação quanto possível, sem realmente entrar nela.

Não pude resistir a perscrutar o interior para ver se havia algum sinal dos bilheteiros que haviam me feito sofrer no passado. Com certeza, vi um deles, um cara grande, gordo e suado, trajando uma camisa azul. Ele estava muito ocupado para me notar naquele instante, mas sabia que notaria em algum momento.

Enquanto isso, continuei com o trabalho de tentar passar minhas dez cópias da *Big Issue* adiante.

Sabia que eles haviam me dado aquele ponto porque, para os vendedores normais da *Big Issue*, ali era um pesadelo. A entrada e a saída de uma estação de metrô não são lugares onde as pessoas geralmente têm tempo para reduzir o ritmo e falar com alguém que esteja tentando vender algo. Elas estão com pressa, têm lugares para ir, pessoas para ver. Um vendedor normal da *Big Issue* teria tido sucesso se conseguisse parar uma em cada mil pessoas que passassem por ele. Aquela era uma tarefa ingrata. Durante o período em que fizera apresentações do outro lado da rua, vira uma sucessão de vendedores tentando e não conseguindo atrair a atenção das pessoas ali por tempo suficiente para conhecer a realidade.

Mas também sabia que *eu* não era um vendedor normal da *Big Issue*. Tinha uma arma secreta, que já havia lançado seu feitiço em Covent Garden. E essa arma logo começou a exercer sua magia.

Coloquei Bob na calçada perto de mim, onde ele se sentou satisfeito, vendo o mundo passar. Muitas pessoas não o perceberam enquanto voavam falando em seus celulares, procurando seus bilhetes no interior dos bolsos. Mas várias outras perceberam.

Momentos depois que me estabeleci, duas jovens turistas americanas se dirigiram até uma parada e começaram a apontar para Bob.

— Aaaah — disse uma delas, imediatamente procurando sua câmera.

— Você deixaria a gente tirar uma foto do seu gato? — pediu a outra.

— Claro, por que não? — respondi, satisfeito porque, ao contrário de muita gente, elas tiveram a decência de pedir. — Enquanto isso, gostariam de comprar um exemplar da *Big Issue*? Isso vai ajudar a mim e a ele a ter o que comer hoje à noite.

— Ah, claro — disse a segunda menina, parecendo quase envergonhada por não haver pensado nisso.

— Não há problema se você não tiver dinheiro — eu disse. — Não é obrigatório.

Mas, antes que pudesse dizer alguma outra coisa, ela me deu uma nota de cinco libras.

— Ah, não sei se tenho troco. Eu, literalmente, acabei de começar — eu disse, sentindo-me nervoso naquele instante. Conheço um monte de gente que acredita que os vendedores da *Big Issue* dizem isso frequentemente, mas realmente não tinha muita coisa nos bolsos. Quando contei, vi que tinha pouco menos de uma libra em moedas pequenas no bolso e entreguei tudo a ela.

— Tudo bem — disse ela. — Fique com o troco e compre algo bom para seu gato comer.

Quando as meninas americanas se foram, outro grupo de turistas passou, dessa vez, de alemães. Mais uma vez, começaram a arrulhar para Bob. Não compraram nenhuma revista, mas isso não importava.

Sabia que não teria nenhuma dificuldade para vender os dez exemplares. Na verdade, poderia até mesmo voltar até Sam antes do fim do dia para pegar mais alguns.

Certamente, vendi seis cópias na primeira hora. A maioria das pessoas me deu o dinheiro certo, mas um cavalheiro idoso, trajando um terno elegante de tweed, deu-me uma nota de cinco libras. Eu já estava me sentindo vingado por fazer aquilo funcionar. Sabia que não seria sempre tão bom assim e haveria altos e baixos. Mas já sentia como se tivesse dado um grande passo em uma nova direção.

Já havia sido um dia muito bom, mas a cereja do bolo veio depois que havia permanecido por lá por cerca de duas horas e meia. Naquele momento, tinha comigo apenas minhas duas últimas revistas. De repente, conscientizei-me de alguma agitação no interior da estação. Subitamente, um pequeno grupo da equipe do Metrô de Londres apareceu no saguão diante de mim. Eles pareciam estar profundamente imersos em uma conversa qualquer e um ou dois deles estavam falando em walkie-talkies.

Minha mente não pôde deixar de voltar ao que havia acontecido comigo recentemente. Eu me perguntava se havia ocorrido outro incidente e se algum pobre coitado seria enquadrado por um crime que não cometera.

Fosse qual fosse o distúrbio, no entanto, acabou rapidamente, e eles começaram a se dispersar. Foi então que a figura grande e suada do bilheteiro me viu com Bob do lado de fora da estação. Ele imediatamente marchou em nossa direção.

Parecia incomodado e nervoso e tinha o rosto vermelho como uma beterraba. Dizem que a vingança é um prato que se come frio, então, decidi ser realmente frio.

— Mas que m*** você está fazendo aqui? — perguntou. — Eu pensei que você tinha sido preso. Você sabe que não deveria estar aqui.

Não disse nada a princípio. Em vez disso, muito lenta e deliberadamente, mostrei-lhe meu crachá da *Big Issue*.

— Estou só fazendo meu trabalho, companheiro — respondi, saboreando a mistura de espanto e raiva que imediatamente começou a se espalhar em seu rosto. — Sugiro que você continue com o seu.

Capítulo 13

Localização Perfeita

Não tomei muitas decisões acertadas em minha vida. Sempre que recebia alguma oportunidade, ao longo dos últimos dez anos, estragava tudo completamente. Alguns dias depois de tomar a decisão de me tornar um vendedor da *Big Issue*, no entanto, tinha certeza de que havia dado um passo na direção certa pela primeira vez.

Isso teve um impacto imediato em minha vida e na de Bob. Para começar, deu-nos mais estrutura. Efetivamente tinha um trabalho de segunda a sexta-feira, quero dizer, de segunda a sábado, na verdade.

Naquelas duas primeiras semanas, Bob e eu trabalhamos em Covent Garden de segunda a sábado, o que combinava com a publicação da revista. A nova edição saía a cada segunda-feira.

Nós estávamos lá desde o meio da manhã e, muitas vezes, terminávamos no final da hora do rush, no início da noite, o que acontecia por volta das sete horas da noite. Nós permanecíamos quanto tempo fosse necessário para vender um lote de exemplares.

Estar com Bob havia me ensinado muito sobre responsabilidade, mas a *Big Issue* levou essa aprendizagem a outro nível. Se não fosse responsável e organizado, não ganharia dinheiro. E, se não ganhasse dinheiro, Bob e eu não comeríamos. Assim, desde a primeira quinzena, tive que aprender a tocar a venda da *Big Issue* como um negócio.

Para alguém cuja vida estivera completamente desorganizada por quase dez anos, isso era um salto enorme. Nunca soubera muito bem como lidar com dinheiro e chegara a viver na miséria. Eu me surpreendi com a maneira como me adaptei às novas exigências.

Havia desvantagens, é claro, não podia deixar de haver. Com a *Big Issue*, você não pode devolver a revista caso não venda; assim, aprendi rapidamente que, caso calculasse mal a quantidade de revistas, podia sair perdendo muito. Podia sofrer um sério golpe se ficasse com 50 exemplares sem vender na noite de sábado. A segunda-feira chegaria, não teria crédito para a próxima compra das revistas e os exemplares velhos só serviriam para reciclagem. Ao mesmo tempo, não era interessante comprar pouco. Muito poucos exemplares seriam vendidos rapidamente e eu ficaria sem revistas, perdendo compradores em potencial. Não era diferente da gestão do Marks and Spencer's[8] — bem, em teoria.

A outra coisa que precisava levar em consideração é que havia uma enorme diferença na qualidade das revistas de uma semana para outra. Em algumas semanas, tratava-se de uma boa edição, recheada de matérias interessantes. Em outras, ela era muito chata e difícil de vender, especialmente se a capa não trazia algum filme famoso ou uma estrela do rock. Isso podia ser um tanto injusto.

Demorou um pouco para obter o equilíbrio certo.

Enquanto buscava definir a melhor maneira de vender a *Big Issue*, ainda vivia de forma precária. O que ganhava entre segunda-feira e sábado à noite acabava geralmente na manhã de segunda-feira. Às vezes, no início de cada semana, chegava ao estande da coordenação com apenas algumas libra. Se Sam estava lá, pedia a ela para fazer o favor de comprar dez exemplares para mim, prometendo que lhe pagaria tão logo tivesse algum dinheiro. Ela normalmente fazia isso para os fornecedores que

---

[8] Maior rede de lojas de departamento do Reino Unido. (N. P.)

sabia que lhe pagariam, e eu havia feito isso uma ou duas vezes antes, quando estava desesperado, e sempre a reembolsara dentro de poucas horas. Sabia que o dinheiro estava saindo do bolso dela, e não da *Big Issue*, então era justo que agisse assim.

Então, quando vendia os exemplares, voltava e pagava o que devia e comprava mais alguns. Comecei a me desenvolver dessa forma.

Como resultado, em termos reais, estava realmente conseguindo menos dinheiro do que tocando na rua com Bob. Mas, quando me acomodei a essa nova rotina, decidi que era um preço que valia a pena pagar. O fato de estar trabalhando legitimamente nas ruas fazia uma grande diferença para mim. Se fosse parado por um policial, poderia mostrar meu crachá e ser deixado em paz. Após a experiência com a Polícia do Transporte, isso significava muito.

Os dois meses seguintes trabalhando na estação do metrô voaram. Em muitos aspectos, era semelhante às apresentações de rua. Nós atraíamos o mesmo tipo de pessoas: um monte de senhoras de meia-idade e idosas, grupos de garotas estudantes e gays, mas também pessoas de todas as esferas sociais.

Um dia, no início do outono de 2008, fomos abordados por um rapaz de aparência muito extravagante. Ele tinha cabelos descoloridos e usava jeans e botas de cowboy, e podia jurar que a jaqueta de couro e as calças deviam ter custado uma fortuna. Tinha certeza de que ele era algum astro do rock norte-americano; ele certamente parecia um.

Enquanto andava, ele localizou Bob imediatamente. Parou sua caminhada e sorriu.

— Eis aí um gato legal — disse ele, com uma espécie de sotaque transatlântico.

Ele parecia realmente familiar, mas não pude identificar quem era. Eu estava morrendo de vontade de lhe perguntar isso, mas pensei que seria rude. Fiquei feliz por não perguntar.

Ele passou um minuto de joelhos apenas acariciando Bob.

— Vocês estão juntos há muito tempo? — perguntou.

— Hã, Deus, deixe-me pensar — disse eu, tentando calcular. — Bom, nós nos conhecemos na primavera do ano passado, então, estamos juntos há cerca de um ano e meio.

— Bacana. Vocês parecem ser irmãos de alma de verdade — ele sorriu. — Como se vocês pertencessem um ao outro.

— Obrigado — assenti, agora desesperado para saber quem diabos era aquele cara.

Antes que eu pudesse lhe perguntar, ele se levantou e olhou para o relógio.

— Ei, tenho que ir, vejo vocês por aí, rapazes — disse ele, procurando algo em um bolso da jaqueta e mostrando um maço de dinheiro. Em seguida, colocou uma nota de dez libras em minha mão. — Guarde isso — disse ele quando comecei a me remexer procurando por troco. — Tenham um bom dia.

— Vamos ter — prometi a ele. E nós tivemos.

Fez muita diferença estar trabalhando do lado de fora da estação de metrô legitimamente. Tive alguns momentos com alguns rostos conhecidos da estação novamente, um ou dois dos quais haviam me lançado alguns olhares maldosos. Eu os ignorei. O restante da equipe era, na verdade, decente. Eles sabiam que eu estava tocando meu trabalho, e, enquanto eu não ofendesse nem molestasse ninguém, estava tudo bem.

Inevitavelmente, Bob e eu também chamávamos a atenção de outros vendedores da *Big Issue* na área.

Eu não era tão ingênuo a ponto de pensar que tudo seria somente alegria com os outros vendedores e demais trabalhadores de rua. A vida nas ruas não era assim. Não era uma comunidade baseada em cuidar uns dos outros; era um mundo em que todo mundo só cuidava de si.

Mas, para começar, pelo menos a maioria dos outros vendedores da *Big Issue* reagiu calorosamente diante do cara novo com um gato sobre os ombros.

Sempre houve vendedores com cães por ali. Um ou dois deles tinham sido realmente umas figuras. Mas, até onde sabia, nunca tinha havido um vendedor da *Big Issue* com um gato em Covent Garden — ou em qualquer outro lugar em Londres — antes.

Alguns dos vendedores foram muito gentis. Aproximavam-se e começavam a acariciar Bob e a fazer perguntas sobre como nos conhecêramos e o que eu sabia sobre o passado dele. A resposta, é claro, era nada. Ele era uma folha em branco, um gato envolto em mistério, o que parecia levar todos a estimá-lo cada vez mais.

Ninguém estava interessado em mim, é claro. A primeira coisa que diziam quando nos viam novamente era: "Como Bob está hoje?". Ninguém nunca perguntava como eu estava. Mas tudo bem, isso era de se esperar. Sabia que o ar de bonomia não duraria. Nas ruas, nunca durava.

Com Bob a meu lado, descobri que podia vender 30 ou até mesmo 50 exemplares em um bom dia. A duas libras cada exemplar, como eles eram precificados na época, podia render muito bem, especialmente com as gorjetas que algumas pessoas me davam — ou, mais geralmente, para Bob.

Uma noite, no início do outono, Bob estava sentado em minha mochila, aproveitando os últimos momentos de sol do dia, quando um casal muito elegante passou pela estação de metrô. A julgar por suas roupas, estavam indo para o teatro ou mesmo para a ópera. Ele vestia smoking e gravata-borboleta e ela trajava um vestido de seda preto.

— Vocês dois estão muito elegantes — disse-lhes quando eles pararam e começaram a babar em Bob.

A senhora sorriu para mim, mas o cara me ignorou.

— Ele é lindo — disse a mulher. — Vocês estão juntos há muito tempo?

— Há um bom tempo — respondi. — Nós meio que nos encontramos nas ruas.

— Aqui está — o cara disse, de repente, abrindo a carteira e puxando uma nota de 20 libras.

Antes que eu pudesse pôr a mão no casaco para pegar algum troco, ele dispensou-o com um aceno.

— Não, tudo bem, guarde o troco — disse, sorrindo para sua companhia.

O olhar que ela deu a ele disse tudo. Tive a sensação de que estavam em seu primeiro encontro. Ela ficou claramente impressionada com ele por me dar tanto dinheiro.

Enquanto se distanciavam, observei-a inclinando-se para ele e envolvendo seu braço no dele.

Não me importei se o gesto fora genuíno ou não. Era a primeira vez que recebia uma gorjeta de 20 libras.

Depois de mais algumas semanas experimentando o local na estação de metrô, percebi que — longe de ser um ponto "ruim" — a estação era realmente ideal para mim e Bob. Por isso, fiquei desapontado quando Sam me disse que havia terminado meu período de experiência e que eu seria transferido para outro ponto no final da quinzena.

Não foi exatamente uma surpresa. A questão de ser um membro da comunidade de vendedores da *Big Issue* é que todos podem ver como cada um está se saindo. Quando os vendedores vão até o coordenador, eles podem ver quem comprou quais quantidades em uma lista que fica ali para todo mundo ver. Você pode lê-la e perceber quem está comprando os exemplares em lotes de 10 e de 20 e quantos lotes estão comprando. Dessa forma, naquela primeira quinzena, eles poderiam ter visto que eu estava comprando muitas revistas.

Logo ficou evidente que aquilo havia sido percebido por alguns dos outros fornecedores. Na segunda semana, notei uma mudança sutil, mas definitiva, na atitude deles em relação a mim.

Não fiquei nada surpreso quando Sam disse que eu havia terminado meu período de provação e agora poderia ser movido para um local diferente. Nosso novo local não era muito longe da estação de metrô; ficava na esquina da Rua Neal com Short's Gardens, do lado de fora de uma loja de calçados chamada Size.

Tinha a nítida sensação de que algum vendedor mais antigo havia criado uma aversão por mim e por Bob e não tinha visto com bons olhos o fato de nos darmos tão bem no que se acreditava ser um ponto ruim. Pela primeira vez, no entanto, cerrei os lábios e aceitei. *Escolha suas batalhas, James*, dei esse conselho a mim mesmo.

Esse acabou sendo um bom conselho.

Capítulo 14

Sob Mau Tempo

O outono daquele ano foi frio e úmido. As árvores perderam as folhas cedo, à medida que os ventos frios e as chuvas torrenciais começaram a aumentar. Em uma manhã em particular, quando Bob e eu saímos do prédio e nos dirigimos para o ponto de ônibus, o sol estava mais uma vez escondido e caía uma garoa fina e suave.

Bob não era um grande fã de chuva. Por isso, no começo, acreditei que ela fosse a culpada pela maneira letárgica como ele começou a andar ao longo do caminho. Ele parecia dar cada passo de uma vez, quase andando em câmera lenta. *Talvez ele não estivesse a fim de vir comigo hoje*, disse a mim mesmo. Ou talvez fosse verdade o que diziam sobre a capacidade dos gatos de sentir o mau tempo no ar. Quando lancei um olhar para o céu, uma massa gigante de nuvens cinzentas e pesadas estava pairando sobre o norte de Londres como uma grande nave espacial alienígena.

Provavelmente, o tempo ficaria daquele jeito o dia todo. Era quase certeza de que uma chuva ainda mais pesada viria pela frente. Talvez Bob estivesse certo e nós devêssemos voltar, pensei por um segundo. Mas, depois, lembrei que o fim de semana estava chegando e nós não tínhamos dinheiro suficiente para passá-lo. *Mendigos não podem escolher — mesmo que tenham se livrado de todas as acusações*, disse a mim mesmo, tentando ver a questão de forma prática.

Nunca ficava feliz por estar trabalhando nas ruas de Londres, mas aquele dia parecia destinado a ser um chute no saco ainda maior que o habitual. Bob ainda estava se movendo no ritmo de um caracol e levamos alguns minutos para cobrir quase cem metros.

— Vamos, companheiro, suba a bordo — disse, virando-me e instigando-o a subir para sua posição normal.

Ele se arrumou em meu ombro e nós marchamos em direção à Estrada Tottenham High para tomar o ônibus. A chuva já estava se intensificando. Gotas de água gordas e pesadas espirravam ao cair na calçada. Bob parecia estar bem enquanto éramos bombardeados ao longo do caminho, abaixando-nos sob qualquer abrigo disponível enquanto prosseguíamos. Mas, quando nos acomodamos no ônibus, percebi que havia algo mais em sua apatia do que apenas o clima.

A viagem de ônibus era, normalmente, uma de suas partes favoritas do dia. Bob era um gato curioso. Naturalmente, o mundo era um lugar infinitamente interessante para ele. Não importava quantas vezes viajássemos, ele nunca cansava de pressionar-se contra o vidro. Mas hoje ele não estava preocupado nem mesmo em se sentar à janela — não que pudesse ver muita coisa através da condensação e dos traços de chuva que obscureciam nossa visão do mundo exterior. Em vez disso, enrolou-se em meu colo. Ele parecia cansado. Sua postura corporal estava entregue. Olhando seus olhos, ele pareceu um pouco sonolento, como se ainda estivesse meio adormecido. Definitivamente não estava em seu estado normal, alerta.

Foi quando descemos na Estrada Tottenham Court que ele começou a piorar nitidamente. Felizmente, a chuva havia abrandado um pouco e agora eu podia passar pelas ruas menores, fugindo das poças no chão, em direção a Covent Garden. Não era um processo fácil, e eu tinha que pular para evitar as poças maiores e os guarda-chuvas gigantes que vinham em minha direção de vez em quando.

Enquanto descíamos a Rua Neal, conscientizei-me de repente de que Bob estava se comportando estranhamente em meu ombro. Em vez de permanecer ali sentado de forma impassível, como normalmente fazia, ele estava se contorcendo e se balançando.

— Você está bem aí, companheiro? — indaguei, desacelerando.

De repente, ele começou a se mover de uma forma muito agitada, fazendo estranhos barulhos de ânsia de vômito, como se estivesse engasgado ou tentando limpar a garganta. Estava convencido de que ele saltaria ou cairia, por isso coloquei-o na calçada para ver o que havia de errado. Mas, antes que pudesse me ajoelhar, ele começou a vomitar. Não havia nada sólido, apenas bile. Mas não parava de sair. Eu podia ver seu corpo convulsionando enquanto ele vomitava e lutava para expulsar o que o estava deixando doente. Por um momento ou dois, imaginei se a culpa era minha e se ele se sentira enjoado por causa de toda a movimentação do dia.

Mas, então, ele começou a passar mal de novo, vomitando mais bile. Com certeza, não estava passando mal apenas pela movimentação. Logo ele não tinha mais nada para pôr para fora, o que era surpreendente, pois havia comido bem na noite anterior e no café da manhã. Foi quando percebi que deveria haver mais conteúdo. Ele já devia ter vomitado naquele dia, mesmo antes de sairmos do apartamento, provavelmente quando estivera no jardim fazendo suas necessidades. Ele devia ter se sentido mal durante a viagem de ônibus também, podia ver agora. Culpei-me por não ter percebido isso mais cedo.

É estranho como você reage a uma situação como essa. Tenho certeza de que meus instintos eram os mesmos que qualquer pai ou proprietário do animal teriam. Todos os tipos de pensamentos loucos, algumas vezes conflitantes, passaram por minha mente. Teria ele simplesmente comido algo que não lhe caíra bem naquela manhã? Teria engolido algo no apartamento que o havia prejudicado? Ou era algo mais sério? Ele cairia morto na minha frente? Tinha ouvido histórias sobre gatos entrando em colapso diante de seus donos depois de beber líquidos de limpeza ou de se asfixiarem com pedaços de plástico. Por uma fração de segundo, uma imagem de Bob morto passou por minha cabeça. Eu consegui me recompor antes que minha imaginação fizesse um motim.

Vamos, James, vamos lidar com isso de forma sensata, disse a mim mesmo.

Sabia que todo aquele vômito e o fato de que ele já não tinha mais líquido para eliminar significavam que ele estava ficando desidratado. Se eu não fizesse nada, isso poderia causar danos a um de seus órgãos. Decidi que um pouco de comida e, mais importante, um pouco de água seriam uma boa ideia. Então, levantei-o em meus braços e o segurei enquanto caminhamos para Covent Garden, para uma loja de artigos em geral que eu conhecia ali por perto. Não tinha muito dinheiro comigo, mas encontrei o suficiente para comprar uma ração líquida de frango, que Bob normalmente adorava, e um pouco de água mineral. Não queria correr o risco de lhe dar água de torneira contaminada. Isso poderia tornar as coisas ainda piores.

Levei-o a Covent Garden e o coloquei na calçada, perto de nosso ponto normal. Peguei a tigela de Bob e derramei o caldo de frango nela.

— Aqui está, companheiro — disse, acariciando-o quando coloquei a tigela diante dele.

Normalmente ele teria atacado imediatamente e engolido o conteúdo da tigela em poucas goladas, mas não naquele dia. Em vez disso, ele permaneceu parado, olhando para a tigela um tempo antes de decidir se inclinar para ela. Ainda assim, estava muito hesitante sobre a comida, tomando apenas alguns bocados. Ele só tomou o caldo. Nem sequer tocou na carne. Mais uma vez, aquilo fez meus alarmes dispararem. Aquele não era o Bob que eu conhecia e amava. Definitivamente, algo estava errado.

Sem o menor entusiasmo, organizei-me para começar a vender as revistas. Nós precisávamos de dinheiro para nos sustentar pelos próximos dias, especialmente caso precisasse levar Bob a um veterinário e comprar alguns medicamentos. Mas meu coração realmente não estava ali. Estava muito mais preocupado em observar Bob do que em tentar captar a atenção dos transeuntes. Ele ficou ali deitado, impassível, sem interesse em nada. Sem surpresa, poucas pessoas pararam para fazer uma doação. Encerrei o dia depois de menos de duas horas. Bob não havia passado mal novamente, mas, com certeza, não estava bem. Eu tinha que o levar para casa, para o ambiente mais quente — e seco — do apartamento.

Creio que havia tido sorte com Bob até aquela época. Desde que eu o havia levado para minha casa, ele estivera em perfeita saúde, 100% ótimo. Ele tivera pulgas no início, mas isso era de se esperar de um gato de rua. Depois que eu o medicara contra isso e lhe dera um tratamento precoce para evitar parasitas, ele não tivera mais nenhum problema de saúde.

De vez em quando, eu o levava ao posto da Blue Cross em Islington Green, onde ele havia recebido o microchip. Os veterinários e enfermeiros já o conheciam bem e sempre comentavam sobre suas boas condições de saúde. Por isso, esse era um território estranho para mim. Estava com medo de que ele pudesse ter algo sério. Enquanto ele repousava em meu colo no ônibus de volta para Tottenham, senti as emoções aflorando de vez em quando. Tive que me esforçar muito para me impedir de irromper em lágrimas. Bob era a melhor coisa em minha vida. O pensamento de perdê-lo era aterrorizante. E eu não conseguia tirar esse pensamento da cabeça.

Quando chegamos ao apartamento, Bob foi direto para o aquecedor, onde rapidamente se enrolou para dormir. Ele ficou ali por horas. Naquela noite não dormi muito, preocupado com ele. Ele estava cansado demais até para me seguir para a cama e ficou dormindo sob o aquecedor na sala da frente. Eu me arrastei para fora da cama várias vezes para vê-lo. Esgueirava-me na escuridão e ouvia o som de sua respiração. Uma vez, fiquei convencido de que ele não estava respirando e tive que me ajoelhar e colocar minha mão em seu diafragma para me certificar de que estava se movendo. Não pude acreditar em quão aliviado fiquei quando descobri que ele estava ronronando suavemente.

O dinheiro era tão curto que simplesmente tive que sair de novo no dia seguinte. O que me trouxe um verdadeiro dilema. Deveria deixar Bob sozinho no apartamento? Ou deveria agasalhá-lo de forma a mantê-lo aquecido e levá-lo para o centro de Londres comigo, para que pudesse ficar de olho nele o tempo todo?

Felizmente, o tempo estava muito melhor naquele dia. O sol havia decidido fazer uma aparição. E, quando saí da cozinha com minha tigela de cereais nas mãos, vi Bob olhando para mim. Ele parecia um pouco mais animado. Quando lhe ofereci um pouco de comida, ele a mordiscou com muito mais entusiasmo.

Decidi levá-lo comigo. Ainda estávamos no início da semana, por isso teria que esperar alguns dias até poder levá-lo para uma consulta na Blue Cross. Então, antes disso, decidi fazer uma pesquisa e me dirigi para a biblioteca local, onde abri uma sessão em um computador e comecei a pesquisar os sintomas de Bob.

Havia esquecido que a busca em sites médicos é uma péssima ideia. Eles sempre dão o pior diagnóstico possível.

Digitei algumas palavras-chave e fui direcionado para alguns sites de aparência informativa. Quando entrei com os principais sintomas — vômito, letargia, perda de apetite e alguns outros —, uma gama completa de possíveis doenças apareceu.

Algumas não eram tão más — por exemplo, poderiam ter sido apenas bolas de pelo ou talvez até mesmo um caso ruim de flatulência. Mas então comecei a olhar para outras possibilidades. Apenas a seção iniciada pela letra A já era ruim o suficiente. Ela incluía doença de Addison, doença renal aguda e envenenamento por arsênico. Como se isso não fosse assustador o suficiente, outras opções na longa lista incluíam leucemia felina, colite, diabetes, intoxicação por chumbo, salmonela e amigdalite. Pior de tudo, pelo menos sob meu ponto de vista, um dos sites dizia que poderia ser um sinal precoce de câncer de intestino.

Depois de ter lido por apenas 15 minutos, já estava uma pilha de nervos.

Decidi mudar de estratégia e pesquisar sobre os melhores tratamentos para o vômito. Isso foi mais positivo. Os sites que olhei sugeriam bastante água, repouso e supervisão. Assim, aquele era meu plano para as próximas 24 a 48 horas: basicamente, ficar de olho nele o tempo todo. Se começasse a vomitar de novo, obviamente tinha que o levar ao veterinário imediatamente. Se não, iria até a Blue Cross na quinta-feira.

No dia seguinte, decidi ficar em casa até o final da tarde para dar a Bob uma boa oportunidade de descansar. Ele dormia como uma pedra, enrolado em seu local favorito. Queria ficar de olho nele. Ele parecia bem, por isso decidi deixá-lo por três ou quatro horas e tentar vender alguma coisa. Eu não tinha muita opção.

Marchando pelas ruas que levavam da Estrada Tottenham Court a Covent Garden, estava ciente de minha invisibilidade novamente. Quando cheguei a Covent Garden, a pergunta de todo mundo era: "Onde está o Bob?". Quando disse às pessoas que ele estava doente, todas ficaram muito preocupadas.

— Ele vai ficar bem?

— É sério?

— Você vai levá-lo ao veterinário?

— Ele está bem sozinho em casa?

Foi então que tive uma ideia. Eu havia conhecido uma enfermeira veterinária chamada Rosemary. O namorado dela, Steve, trabalhava em uma loja de revistas em quadrinhos perto de onde ficávamos algumas vezes. Bob e eu aparecíamos lá de vez em quando e nós nos tornáramos amigos. Rosemary estivera lá com Steve certo dia e começáramos a conversar sobre Bob.

Decidi dar uma espiada lá para ver se algum deles estava por perto. Felizmente, Steve estava lá e me deu o número do telefone de Rosemary.

— Ela não vai achar ruim se você ligar para ela — disse ele. — Especialmente porque é sobre o Bob. Ela adora o Bob.

Quando falei com Rosemary, ela me fez um monte de perguntas.

— O que ele come? Será que ele come alguma outra coisa quando sai de casa?

— Bom, ele vasculha a área das lixeiras — respondi.

Era um hábito que ele nunca havia perdido. Ele era um terror absoluto. Eu o vira rasgar os sacos de lixo em pedaços na cozinha. Eu tinha que os colocar do lado de fora da porta da frente. Ele era um gato de rua. Você pode tirar o gato das ruas, mas você não pode tirar as ruas do gato.

Pude ouvir algo na voz dela, como se uma lâmpada houvesse sido ligada.

— Hmmm — disse ela. — Isso pode explicar as coisas.

Ela prescreveu alguns medicamentos probióticos, alguns antibióticos e um líquido especial para acalmar o estômago.

— Qual é seu endereço? — ela disse. — Vou mandar entregarem de bicicleta para você.

Fiquei surpreso.

— Oh, não sei se posso me dar a esse luxo, Rosemary — desculpei-me.

— Não, não se preocupe, não vai lhe custar nada. Só vou adicionar a alguma outra entrega na área — disse ela. — Tudo bem se for esta noite?

— Sim, ótimo — respondi.

Eu estava abobalhado. Tais atos espontâneos de generosidade não haviam exatamente feito parte de minha vida nos últimos anos. Atos aleatórios de violência, sim; de bondade, não. Foi uma das maiores mudanças que Bob trouxe consigo. Graças a ele, redescobri o lado bom da natureza humana. Havia começado a depositar minha confiança — e minha fé — nas pessoas novamente.

Rosemary seria fiel à palavra dada. Não tinha dúvidas disso. A bicicleta chegou cedo naquela noite e administrei as primeiras doses do medicamento imediatamente.

Bob não gostou do sabor do probiótico. Fez uma careta e recuou meio passo quando lhe dei a primeira colherada dele.

— Que má sorte, companheiro — eu disse. — Se você não enfiasse a cara nas caçambas de lixo, não teria que tomar essas coisas.

O medicamento teve um impacto quase imediato. Naquela noite, ele dormiu profundamente e estava bem mais travesso na manhã seguinte. Tive que segurar sua cabeça para ter certeza de que ele engolira o probiótico.

Na quinta-feira, ele estava indo bem no caminho para a recuperação. Mas, apenas por precaução, decidi ir até a Blue Cross em Islington Green. A enfermeira de plantão reconheceu-o imediatamente e pareceu preocupada quando lhe disse que Bob andara desanimado.

— Vamos fazer uma avaliação rápida, certo? — ela propôs. Verificou o peso e o interior da boca dele e teve uma boa impressão observando o corpo. — Tudo parece estar bem — disse ela. — Creio que ele está se recuperando.

Conversamos por alguns minutos antes de partimos.

— Só não vá vasculhar aquelas lixeiras novamente, Bob — disse a enfermeira enquanto saíamos da sala de cirurgia improvisada.

Ver Bob doente exerceu um efeito profundo em mim. Ele parecia ser um gato tão indestrutível. Nunca imaginara que ele ficaria doente. Descobrir que ele era mortal realmente me abalou.

Aquilo enfatizou a sensação que vinha crescendo dentro de mim já havia algum tempo. Era hora de eu ficar limpo.

Estava farto de meu estilo de vida. Estava cansado da rotina de entorpecimento mental de ter que ir à Unidade de Dependência de Drogas (UDD) quinzenalmente e ao farmacêutico todos os dias. Estava cansado de me sentir como se pudesse escorregar de volta para o vício a qualquer momento.

Portanto, na próxima vez em que me encontrei com meu conselheiro, perguntei a ele sobre largar a metadona e dar o passo final para tornar-me completamente limpo. Já havíamos conversado sobre aquilo antes, mas não creio que ele houvesse me levado a sério nenhuma vez. Dessa vez, notou que eu estava falando sério.

— Não vai ser fácil, James — disse ele.

— Sim, eu sei disso.

— Você vai ter que tomar um medicamento chamado Subutex. Podemos, então, ir diminuindo a dosagem devagar para que você não precise tomar mais nada depois — continuou.

— Certo — assenti.

— A transição pode ser difícil, você pode ter sintomas de abstinência bastante intensos — disse ele, inclinando-se para mim.

— Isso é problema meu — respondi. — Mas quero fazer isso. Quero fazer isso por mim e pelo Bob.

— Ok, bom, vou colocar as coisas em movimento e vamos iniciar o processo em algumas semanas.

Pela primeira vez em anos, senti como se pudesse ver uma mínima luz no fim de um túnel muito escuro.

Capítulo 15

A Lista do Mau Comportamento

Senti que havia algo errado no momento em que cheguei ao estande da coordenação em Covent Garden numa segunda-feira fria e úmida. Alguns poucos vendedores estavam por ali, batendo os pés para se aquecer e bebendo chá em copos de isopor. Quando repararam em mim e Bob, alguns deles murmuraram entre si e me lançaram olhares de reprovação, como se eu fosse um hóspede indesejável.

Quando Sam, a coordenadora, apareceu do outro lado do carrinho de distribuição onde estava recolhendo um novo lote de exemplares, ela imediatamente apontou um dedo para mim.

— James, preciso ter uma palavra com você — disse ela, parecendo séria.

— Claro, qual é o problema? — indaguei, aproximando-me dela com Bob em meu ombro.

Ela quase sempre dizia olá para ele e lhe fazia um carinho, mas não nesse dia.

— Tive uma reclamação. Na verdade, recebi várias.

— Sobre o quê? — perguntei.

— Alguns vendedores dizem que você está "flutuando" para outros pontos. Você foi visto fazendo isso algumas vezes na região de Covent Garden. Sabe que a flutuação é contra as regras.

— Isso não é verdade — respondi, mas ela simplesmente levantou a palma da mão aberta, no clássico gesto de "fale com minha mão".

— Não adianta discutir aqui. O escritório quer que você vá até lá para uma conversa.

Compreendi que aquilo era tudo e me dirigi para as pilhas de exemplares que haviam acabado de chegar.

— Desculpe, não, você não pode comprar mais revistas até que vá a Vauxhall e resolva essa questão.

— O quê? Eu não posso comprar nenhuma revista hoje? — protestei. — Como é que vou conseguir dinheiro para mim e Bob?

— Desculpe, mas você está suspenso até resolver essa questão com a sede.

Fiquei chateado, mas não totalmente surpreso. As coisas vinham caminhando para isso havia algum tempo.

Uma das muitas regras que era preciso seguir como vendedor da *Big Issue* era ater-se a vender seus exemplares no local designado. Não se deve vender no ponto de outra pessoa. E não se deve flutuar — isto é, vender enquanto está andando pelas ruas. Eu estava totalmente de acordo com a regra. Não teria gostado se alguém começasse a caminhar próximo a meu ponto acenando com a *Big Issue* por ali. Era a forma mais justa e mais simples de policiar o exército de vendedores de Londres.

Mas, no último mês, ou nos dois últimos, dois vendedores tinham vindo até mim para reclamar que eu estava "flutuando". Eles contaram que haviam me visto vendendo alguns exemplares enquanto andava com Bob. Não era verdade, mas compreendi por que eles pensaram isso.

Caminhar com Bob sempre havia sido um processo de andar-parar. Aonde quer que fôssemos em Londres, éramos parados a cada poucos metros por pessoas que queriam acariciá-lo e falar com ele ou até mesmo tirar uma fotografia.

A única diferença agora era que as pessoas, às vezes, também pediam para comprar uma cópia da *Big Issue*.

Como expliquei para os outros vendedores, isso me deixava em uma situação muito complicada. Tecnicamente, o que eu deveria dizer era: "Desculpe, você vai ter que me acompanhar até meu ponto ou comprar a revista do vendedor mais próximo". Mas eu sabia qual seria o resultado final: perder a venda, o que não beneficiaria ninguém.

Alguns dos vendedores com quem eu havia falado concordaram e compreenderam. Mas outros, não.

Imaginei logo quem me denunciara. Não precisava ser um gênio para descobrir isso.

Um mês ou mais antes que Sam houvesse emitido a suspensão, estava andando por Long Acre, depois da Body Shop, onde um cara chamado Geoff tinha um ponto da *Big Issue*. Gordon Roddick, cuja esposa, Anita, fundara a Body Shop, tinha fortes ligações com a *Big Issue*, de modo que sempre havia vendedores do lado de fora de suas lojas. Eu o conhecia um pouco e o cumprimentei enquanto passava. Mas, então, alguns instantes depois, um casal de idosos americanos me parou com Bob na rua.

Eles foram incrivelmente educados. Eram o estereótipo clássico do marido e da mulher do Meio-Oeste.

— Com licença, senhor — disse o marido —, será que eu poderia apenas tirar uma foto sua e de seu companheiro? Nossa filha adora gatos e ficaria muito feliz em vê-los.

Fiquei mais do que feliz em aceitar. Ninguém me chamava de "senhor" havia anos — se é que já chamaram um dia!

Estava tão acostumado a posar para turistas que já havia aperfeiçoado algumas poses para Bob que pareciam funcionar melhor em fotografias. Eu o colocava em meu ombro direito e o virava para que sua cara ficasse bem próxima de meu rosto. Fiz isso novamente naquela manhã.

O casal norte-americano ficou muito satisfeito com a foto.

— Oh, nossa, nem sei como agradecer. Ela vai se desmanchar de alegria — disse a esposa.

Eles não conseguiam parar de dizer "obrigado" e se ofereceram para comprar um exemplar da revista. Eu disse que não e apontei para Geoff, a alguns metros de distância.

— Ele é o vendedor oficial da *Big Issue* nesta área, então, por isso, os senhores devem ir comprar dele — disse.

Eles decidiram que não e seguiram adiante. Mas, então, quando estavam se distanciando, a mulher se inclinou para mim e enfiou uma nota de cinco libras em minha mão.

— Aqui está — disse ela. — Dê um agrado a si mesmo e a seu gato adorável.

Essa era uma daquelas situações clássicas em que a percepção e a realidade eram completamente opostas uma à outra. Qualquer um que estivesse ali teria visto que não havia solicitado o dinheiro e havia ativamente tentado direcioná-los para Geoff. Mas, para Geoff, por outro lado, não apenas pareceu que eu havia acabado de receber o dinheiro sem entregar a revista, algo que era proibido, mas que eu agravara o crime ao dizer a eles que o ignorassem.

Percebi imediatamente que aquilo podia parecer ruim e, por isso, fui na direção dele para tentar explicar. Mas já era tarde demais. Ele estava gritando obscenidades para mim e Bob antes que eu estivesse a dez metros dele. Sabia que Geoff tinha um temperamento explosivo e a reputação de ser agressivo com certas situações. Decidi não arriscar. Ele estava com uma raiva tão grande que nem sequer tentei argumentar com ele. Simplesmente me afastei, a fim de deixá-lo em paz.

Logo ficou bastante óbvio que o incidente devia ter se tornado, assim, o assunto da vez entre os vendedores da *Big Issue*. Depois disso, deve ter havido algum tipo de campanha à meia-voz contra mim.

Tudo começou com comentários irônicos.

— Flutuando de novo hoje? — um vendedor me perguntou sarcasticamente quando passei por seu ponto certa manhã. Pelo menos, ele foi um pouco civilizado.

Outro vendedor, próximo da Alameda St. Martin's, foi muito mais direto.

— As vendas de quem você e esse bichano sarnento vão roubar hoje? — ele rosnou para mim.

Mais uma vez, tentei explicar a situação, mas podia muito bem ter falado com a parede. Ficou claro que os vendedores estavam fofocando uns com os outros, somando dois e dois e encontrando cinco.

Não me preocupei muito com isso no começo, mas a situação evoluiu um pouco.

Não muito tempo depois do incidente com Geoff, comecei a receber ameaças de vendedores bêbados. Vendedores da *Big Issue* não devem beber durante o trabalho. Essa é uma das regras mais fundamentais. Mas a verdade é que uma grande quantidade de vendedores é alcoólatra e leva uma lata de cerveja extraforte consigo nos bolsos. Outros mantêm um frasco de algo mais forte e dão alguns golinhos de vez em quando para conseguir continuar. Tenho que confessar: fiz isso uma vez, em um dia particularmente frio. Mas esses caras eram diferentes. Eles estavam caindo de bêbados.

Um dia, Bob e eu estávamos andando pela praça quando um deles deu uma guinada em nossa direção, arrastando as palavras e agitando os braços.

— Seu desgraçado da p***, a gente vai te pegar! — disse ele.

Gostaria de dizer que isso só aconteceu uma vez, mas tornou-se quase um evento semanal.

A última pista de que nem tudo estava bem aconteceu certa tarde, quando estava andando próximo ao ponto da coordenação em Covent Garden. O colega de Sam, Steve, costumava fazer o turno da tarde para ela. Ele sempre fora bom para Bob. Creio que Steve não gostava muito de mim, mas sempre fazia uma festinha com Bob. Neste dia em especial, no entanto, ele estava de mau humor em relação a nós dois.

Estava sentado em um banco, cuidando da vida, quando Steve se aproximou de mim.

— Se dependesse de mim, você não estaria vendendo — disse ele, com uma maldade nítida na voz. — No que me diz respeito, você é um mendigo. Isso é o que você e esse gato estão fazendo. Mendigando.

Fiquei muito chateado por isso. Vinha trilhando um longo caminho. Fizera um esforço enorme para me encaixar na família da *Big Issue* em Covent Garden. Explicara várias vezes o que estava acontecendo com Bob, mas isso não fazia diferença. Entrava por um ouvido e saía pelo outro.

Então, como eu disse, não fiquei totalmente surpreso quando Sam me deu a notícia de que deveria ir até a sede. Mas ainda fiquei desnorteado.

Saí de Covent Garden atordoado e bastante confuso. Realmente não sabia o que fazer agora que estava na "Lista do Mau Comportamento".

Naquela noite, eu e Bob jantamos e fomos para a cama cedo. O tempo estava ficando frio e, com a situação financeira parecendo sombria, não queria gastar muita eletricidade. Então, enquanto Bob se enrolou ao pé da cama, eu me encolhi debaixo das cobertas, tentando desesperadamente descobrir o que fazer a seguir.

Não tinha ideia do que significava a suspensão. Será que seria banido para sempre? Ou era só algum tipo de punição mais leve? Eu não tinha ideia.

Enquanto estava deitado, vieram à tona lembranças de como minhas apresentações de rua haviam sido injustamente finalizadas. Eu não podia suportar a ideia de ser-me negado um meio de vida por causa das mentiras de outras pessoas pela segunda vez.

Parecia ainda mais injusto dessa vez. Não havia me envolvido em nenhum problema até então, ao contrário de muitos dos vendedores da *Big Issue* que havia visto na região de Covent Garden, que muitas vezes quebravam as regras e eram repreendidos por Sam e outros coordenadores.

Sabia sobre um cara que era notório entre todos os vendedores. Era um *cockney*[9] grande e impetuoso, um personagem muito intimidante; ele rosnava para as pessoas com uma voz realmente ameaçadora. Assustava principalmente as mulheres, indo até elas e dizendo: "Vai, querida, compra uma revista". Era quase como se ele estivesse ameaçando-as. "Compra uma, ou senão..."

Aparentemente, ele costumava enrolar a revista e depois a deslizava para o interior das sacolas das pessoas enquanto elas estavam passando. Também ouvi dizer que ele, então, as detinha e dizia: "São duas libras, por favor", e depois as seguia até que lhe dessem dinheiro para que fosse embora. Esse tipo de coisa não ajuda ninguém. Na maioria das vezes, as vítimas simplesmente atiram os exemplares na próxima lixeira. Não era nem mesmo como se o dinheiro estivesse sendo doado para uma boa causa. Diziam que esse brutamonte era viciado em jogos de azar, e outros vendedores contavam que o que ele mais fazia era se enfiar em máquinas caça-níqueis.

Obviamente, ele havia quebrado tantas das regras básicas que era algo absurdo. Mas, até onde sabia, ele nunca fora punido.

Quaisquer que fossem os delitos que eu houvesse supostamente cometido, eles nem se comparavam a isso. E foi a primeira vez que fui acusado de alguma coisa. Era certo que isso contaria a meu favor? Era certo que não se tratava de uma questão do tipo "um erro e você está fora"? Eu simplesmente não sabia. Era por isso que estava começando a entrar em pânico.

---

[9] Cockney é o habitante da Zona Leste de Londres, tipicamente da classe trabalhadora e falante de um dialeto do inglês. (N. P.)

Quanto mais pensava sobre aquilo, mais confuso e indefeso eu me sentia. Mas sabia que não podia fazer nada. Assim, na manhã seguinte, decidi sair como normalmente fazia e simplesmente procurar outro coordenador em uma parte diferente de Londres. Era um risco, sabia disso, mas achei que era um risco que valia a pena.

Como vendedor da *Big Issue*, você aprende que existem coordenadores por toda a cidade, principalmente ao redor da Rua Oxford, em Kings Cross e na Rua Liverpool. Você começa a conhecer toda a rede. Assim, decidi arriscar na região da Rua Oxford, onde havia conhecido algumas pessoas no passado.

Cheguei à tenda no meio da manhã e tentei conduzir a situação o mais discretamente possível. Mostrei meu crachá e comprei uma pilha de 20 exemplares. O cara estava envolvido com outras coisas, por isso, mal me registrou. Não fiquei por ali por muito tempo para lhe dar a chance de fazê-lo. Simplesmente me dirigi para um local onde não havia sinal de nenhuma outra pessoa vendendo e assumi o risco.

Senti pena de Bob por tudo aquilo. Ele estava muito nervoso e parecia desorientado — compreensivelmente. Ele gostava de rotina, prosperava na estabilidade e na previsibilidade. Não via com bons olhos o caos entrando em sua vida mais uma vez. Nem eu, para ser honesto. Ele deve ter se perguntado por que nossa rotina normal tinha sido alterada tão súbita e inexplicavelmente.

Consegui vender um bom número de revistas naquele dia — e fiz o mesmo no dia seguinte. Mudava de local o tempo todo, imaginando que a equipe de divulgação da *Big Issue* estava à minha procura. Sabia que isso era ilógico e um pouco louco, mas estava paranoico, com medo de perder o emprego. Eu me imaginava sendo levado à frente de alguma comissão e sendo despojado de meu crachá e expulso.

— Por que isso está acontecendo com a gente? — perguntei para Bob enquanto voltávamos no ônibus certa noite. — Nós não fizemos nada de errado. Por que não podemos ficar em paz?

Resignei-me a ter que passar as próximas semanas correndo riscos em outras partes de Londres, na esperança de que os coordenadores não soubessem que eu era *persona non grata.*

Estava sentado sob um velho guarda-chuva surrado em uma rua em algum lugar próximo à Estação Victoria, no final de uma tarde de sábado, quando finalmente disse a mim mesmo que havia cometido um erro. Bem, para ser honesto, foi Bob quem me mostrou.

A chuva havia caído duramente por cerca de quatro horas e apenas uma pessoa havia desacelerado o passo para comprar uma revista. Eu não podia culpá-las. Elas só queriam sair do dilúvio.

Desde que começáramos a vender, no início da tarde, as únicas pessoas que haviam demonstrado interesse por mim e Bob foram o pessoal de segurança dos vários edifícios onde havíamos parado para tentar nos abrigar.

— Desculpe, amigo, você não pode ficar aqui — diziam-me com monótona regularidade.

Encontrei um guarda-chuva descartado em uma lixeira e decidi usá-lo em uma última tentativa de evitar outro dia meio catastrófico. Mas não estava funcionando.

Eu estava conseguindo adquirir exemplares de vários vendedores nos arredores de Londres havia cerca de um mês. Eu vinha sendo cuidadoso com relação a quem eu abordava e, sempre que possível, pedia a outros vendedores para comprar os exemplares para mim. Muita gente sabia quem eu era. Mas havia gente o bastante que não sabia que eu estava na lista suspensa e adquiria lotes de 10 ou de 20 exemplares para me ajudar. Não queria causar-lhes problemas, mas, se eles não sabiam que eu fora banido, então ninguém poderia criticá-los. Achei que era seguro e, depois de tudo por que eu havia passado ao longo dos últimos meses, só queria ganhar a vida e cuidar de mim e de Bob.

Entretanto, as coisas não estavam indo bem. Encontrar o local certo era um verdadeiro problema, principalmente porque a maioria dos lugares que eu arrumava para vender não era licenciada de fato. Bob e eu fomos transferidos de várias esquinas na região da Rua Oxford, Paddington, King Cross, Euston e outras estações. Um dia, depois de ter sido convidado a me mudar de local três vezes pelo mesmo policial, recebi um aviso semioficial de que, da próxima vez, eu seria preso. Não queria passar por isso novamente.

Essa realmente era uma situação do tipo "se correr o bicho pega, se ficar o bicho come". Eu fazia questão de ficar longe dos pontos principais e tentava ficar em lugares que fossem um pouco fora do circuito da maioria. Mas, como resultado, achei muito difícil vender a revista, mesmo com Bob. A *Big Issue* não havia designado seus pontos principais de venda por acidente. Eles sabiam exatamente onde os exemplares seriam vendidos — e onde não seriam. Foram esses os pontos que me encontrei ocupando.

As pessoas ainda eram atraídas por Bob, é claro, mas os pontos simplesmente não eram bons. Inevitavelmente, isso acabou me atingindo no bolso, e tornou-se muito mais difícil gerir o lado comercial da *Big Issue*. Naquela noite, isso estava me levando ao fundo do poço. Eu tinha cerca de 15 exemplares sobrando. Sabia que não os venderia e, na segunda-feira, quando uma nova edição saísse, eles estariam ultrapassados. Eu estava com problemas.

Enquanto a claridade diminuía e a chuva continuava a cair, disse a mim mesmo que tentaria mais alguns pontos, na esperança de me livrar daqueles exemplares. Não havia pensado em Bob, no entanto.

Até agora, ele tinha sido simplesmente ótimo, um verdadeiro estoico, mesmo no dia mais desesperadamente triste. Ele até suportara os respingos-d'água regulares que levara de carros e pessoas passando, embora soubesse que ele odiava ficar encharcado no frio. Mas, quando tentei parar e sentar-me na primeira esquina que vi, ele se recusou a parar de andar. Era extremamente raro que ele puxasse a guia como um cão, mas era exatamente isso o que ele estava fazendo naquele instante.

— Ok, Bob, entendi o recado, você não quer parar aqui — eu disse, simplesmente pensando que ele não havia gostado daquele lugar em particular.

Mas, quando ele fez exatamente a mesma coisa no ponto seguinte e, então, novamente no próximo, a ficha finalmente caiu.

— Você quer ir para casa, né, Bob? — perguntei.

Ele ainda estava puxando a guia, mas, ao ouvir isso, diminuiu a velocidade e inclinou a cabeça quase imperceptivelmente em minha direção, parecendo ter, sob todos os aspectos, levantado as sobrancelhas. Parou, então, e me lançou aquele olhar familiar que dizia que queria ser pego no colo.

Naquele instante, tomei a decisão. Até agora, Bob tinha sido uma rocha, permanecendo lealmente a meu lado, apesar do fato de que o negócio não vinha sendo tão bom e, consequentemente, sua tigela andava um pouco menos cheia de comida. Aquilo só enfatizou para mim como ele era leal. Agora, eu tinha que ser leal a ele e nos colocar de volta nos trilhos com relação à gestão da *Big Issue*.

Sabia que era a coisa certa a fazer. A *Big Issue* tinha sido um grande passo para mim. Ela me dera o maior impulso que eu recebera havia muito tempo, bem, desde que Bob entrara em minha vida, na verdade. Eu só precisava esclarecer a situação com eles. Não podia deixar de enfrentar a situação por mais tempo. Tanto por amor a Bob quanto por mim mesmo. Eu não podia continuar fazendo isso com ele.

E foi assim que, na manhã da segunda-feira seguinte, tomei um bom banho, vesti uma camisa decente e parti para Vauxhall. Levei Bob comigo, para ajudar a explicar o caso.

Realmente não sabia o que esperar quando cheguei lá. O pior cenário, obviamente, seria aquele em que eu seria despojado de meu crachá e proibido de vender a revista. O que seria extremamente injusto. Mas sabia que precisaria haver algum tipo de punição caso eles me julgassem culpado de "flutuação". Minha maior esperança era convencê-los de que não tinha feito isso.

Cheguei ao escritório da *Big Issue* e expliquei a situação. Mandaram-me esperar.

Bob e eu ficamos lá sentados por cerca de 20 minutos antes de vermos alguém. Um cara bastante jovem e uma mulher mais velha me levaram até um escritório impessoal e me pediram para fechar a porta atrás de mim. Prendi a respiração e esperei pelo pior.

Eles me deram uma verdadeira bronca. Alegaram que eu havia quebrado algumas das regras essenciais.

— Tivemos reclamações de que você estava flutuando e pedindo esmolas — afirmaram.

Sabia quem havia feito as denúncias, mas não deixei transparecer. Sabia que não deveria transformar a questão em um conflito de personalidades. Esperava-se que os vendedores da *Big Issue* se dessem bem uns com os outros e, se eu começasse a falar mal de uma lista de outros vendedores, isso não me faria bem algum. Em vez disso, tentei explicar como era difícil andar em Covent Garden com Bob sem que me oferecessem dinheiro pela revista.

Eu lhes dei alguns exemplos, um envolvendo alguns caras do lado de fora de um pub que haviam parado para admirar Bob e me ofereceram uma nota de cinco por três cópias. Havia uma entrevista na revista com uma atriz de quem todos eles gostavam, foi o que me disseram.

— Coisas desse tipo acontecem o tempo todo — afirmei. — Se alguém me para do lado de fora de um pub, recusar-me a vender um exemplar para a pessoa seria simplesmente rude.

Eles ouviram com simpatia e assentiram em alguns dos trechos que pontuei.

— Podemos ver que o Bob chama atenção. Falamos com alguns

vendedores que confirmaram que ele é um ímã para as multidões — disse o jovem, com mais do que um simples toque de compaixão na voz.

Porém, quando terminei de me defender, ele se inclinou para a frente e me deu a notícia ruim.

— Bom, nós ainda vamos ter que te dar uma advertência verbal.

— Oh, ok. Uma advertência verbal, o que isso quer dizer? — perguntei, genuinamente surpreso.

Ele explicou que não me impediria de vender, mas que a situação poderia mudar se eu fosse considerado culpado de flutuar novamente.

Eu me senti um pouco bobo depois disso. A advertência verbal não era nem uma coisa nem outra. Percebi que tinha entrado totalmente em pânico e, como sempre fazia, pulara diretamente para a pior conclusão possível. Não havia entendido o que estava acontecendo. Estava com medo de perder o emprego. As imagens que fizera de mim mesmo sendo levado diante de alguma comissão, despojado de meu crachá e expulso eram apenas fruto de minha imaginação. Eu não percebera que aquilo não era tão grave.

Voltei para Covent Garden para ver Sam, sentindo-me um pouco envergonhado com o que andara acontecendo. Quando ela me viu com Bob, sorriu para nós propositadamente.

— Não tinha certeza se veríamos vocês dois de novo — disse ela. — Já foi até o escritório para resolver as coisas?

Expliquei o que havia acontecido. Depois, entreguei-lhe o pedaço de papel que haviam me dado no final da reunião.

— Parece que você está de volta ao período de experiência por um tempo — disse ela. — Você só pode trabalhar depois das 4h30 da tarde e aos domingos, por algumas semanas. Então, poderemos colocá-lo de volta a seu turno normal. Só se certifique de não provocar queixas. Se alguém se aproximar de você e Bob e se oferecer para comprar uma revista, diga que você não tem mais ou, se for óbvio que você tem, diga que ela está reservada para clientes regulares. E não se envolva.

Foram ótimos conselhos, claro. O problema é que outras pessoas podiam querer "se envolver". E foi o que fizeram.

Uma tarde de domingo, Bob e eu havíamos ido para Covent Garden para fazer algumas horas de trabalho. Dadas as nossas restrições, tínhamos que agarrar as oportunidades que recebêssemos.

Estávamos sentados próximo ao ponto dos coordenadores da Rua James quando, de repente, tornei-me ciente de uma presença grande e bastante ameaçadora. Era um cara chamado Stan.

Stan era uma figura bem conhecida nos círculos da *Big Issue*. Ele trabalhava para a empresa havia anos. O problema era que ele era um pouco imprevisível. Quando estava de bom humor, podia ser o cara mais legal que alguém poderia conhecer. Faria qualquer coisa por essa pessoa, e muitas vezes realmente fazia. Ele me estendera a mão e me dera alguns exemplares gratuitos em certas ocasiões.

No entanto, quando Stan estava de mau humor ou, pior ainda, bêbado, ele podia ser a dor de cabeça mais censurável, argumentativa e agressiva do mundo.

Rapidamente percebi que era esse último Stan que estava em pé na minha frente.

Stan era um cara grande, com quase dois metros de altura. Ele se inclinou sobre mim e gritou:

— Você não deveria estar aqui! Você foi banido desta área.

Pude sentir seu hálito. Era como uma destilaria. Mas tinha que defender meu terreno.

— Não, a Sam disse que eu poderia vir aqui no domingo ou depois das 4h30 — respondi.

Felizmente, outro cara que trabalhava com Sam, Peter, também estava por ali e me apoiou, para grande aborrecimento de Stan.

Ele cambaleou para trás por um momento e depois se ajustou para conseguir apoio, respirando vapor de uísque em cima de mim mais uma vez. Ele estava olhando para Bob agora, e não era de forma amigável.

— Se dependesse de mim, eu estrangulava seu gato agora — disse ele.

Suas palavras realmente me assustaram. Se ele houvesse feito qualquer movimento em direção a Bob, eu o teria atacado. Eu o teria defendido como uma mãe defende o filho. Era a mesma coisa. Ele era meu bebê. Mas eu sabia que teria sido fatal, do ponto de vista da *Big Issue*. Seria o fim.

Por isso, tomei duas decisões naquele momento. Peguei Bob e me dirigi para outros lugares naquela tarde. Não trabalharia em nenhum lugar perto de Stan enquanto ele estivesse naquele estado de espírito. Mas também tomei a decisão de me afastar de Covent Garden.

Seria uma grande guinada. Bob e eu tínhamos uma base de clientes leais ali e, além de tudo, era um lugar divertido para trabalhar. A verdade inescapável, no entanto, é que aquele estava se tornando um lugar desagradável, e até perigoso, para o trabalho. Bob e eu precisávamos passar para uma parte menos competitiva de Londres, em algum lugar onde eu não fosse tão bem conhecido. Havia um candidato óbvio.

Eu costumava fazer apresentações de rua perto da estação de metrô Angel, em Islington, antes de ir para Covent Garden. Era uma boa área, menos lucrativa do que Covent Garden, mas ainda valia a pena. Assim, decidi no dia seguinte fazer uma visita ao coordenador de lá, um cara ótimo chamado Lee, o qual conhecia um pouco.

— Quais são as chances de eu conseguir um bom ponto aqui? — perguntei a ele.

— Bom, Camden Passage está muito lotada, tal como o Green, mas você pode ficar do lado de fora da estação de metrô, se quiser — disse ele. — Ninguém gosta muito de lá.

Tive uma sensação de déjà vu. Era Covent Garden tudo de novo. Para os outros vendedores da *Big Issue* em Londres, as estações de metrô eram consideradas um verdadeiro pesadelo, os piores lugares possíveis para tentar vender a revista. A teoria dizia que as pessoas em Londres estavam simplesmente se movendo tão rápido que não tinham tempo para desacelerar, tomar a decisão de comprar um exemplar e procurar dinheiro nos bolsos. Elas tinham que ir a algum lugar e estavam sempre com pressa.

Como havia descoberto em Covent Garden, no entanto, Bob tinha a capacidade mágica de atrasá-las. As pessoas o viam e, de repente, não estavam mais com tanta pressa. Era como se ele estivesse dando a elas um pequeno e breve alívio, um pouco de cordialidade e simpatia em meio a suas vidas frenéticas e impessoais. Tenho certeza de que muita gente comprava a *Big Issue* como uma forma de agradecimento por eu haver lhes proporcionado aquele pequeno momento especial. Dessa forma, estava mais do que feliz em assumir o que se supunha ser um ponto "difícil" do lado de fora da estação de metrô Angel.

Começamos na mesma semana. Deixei os vendedores de Covent Garden para lá.

Quase imediatamente, fizemos as pessoas reduzir o passo para dizer olá para Bob. Logo estávamos no nível em que havíamos parado em Covent Garden.

Uma ou duas pessoas nos reconheceram. Certa noite, uma senhora bem vestida em um traje social parou e teve uma espécie de percepção tardia.

— Você dois não trabalham em Covent Garden? — indagou.

— Não mais, minha senhora — respondi com um sorriso —, não mais.

Capítulo 16

Os Corações do Angel

A mudança para o distrito de Angel, definitivamente, conquistou a aprovação de Bob; bastava observar sua linguagem corporal a cada dia quando nos dirigíamos para o trabalho.

Quando descíamos do ônibus em Islington Green, ele não pedia para subir em meus ombros, como costumava fazer quando trabalhávamos no centro de Londres. Em vez disso, quase todas as manhãs ele assumia a liderança e marchava propositadamente à minha frente, descendo pela Camden Passage, passando por todas as lojas de antiguidades, cafés, bares e restaurantes, em direção ao final da Rua Islington High e da grande área pavimentada ao redor da entrada da estação de metrô.

Às vezes, precisávamos nos dirigir até o coordenador da *Big Issue* no lado norte do Green e, por isso, tomávamos um caminho diferente. Se esse era o caso, ele sempre seguia diretamente até a área de jardim fechado no coração do Green. Eu esperava e o observava enquanto ele remexia entre as plantas exuberantes, farejando em busca de roedores, aves ou de qualquer outra pobre criatura desavisada com a qual ele pudesse testar suas habilidades de caça. Até aquele momento, ele não havia conseguido coisa alguma, mas isso não parecia diminuir seu entusiasmo em enfiar a cabeça em cada espaço do lugar.

Quando finalmente chegávamos a seu local preferido, de frente para a barraca de flores e a banca de jornal, perto de um dos bancos junto à entrada da estação de metrô Angel, ele se postava ali e me observava efetuar o ritual de chegada, colocando minha bolsa no chão e uma cópia da *Big Issue* na frente dela. Depois disso, ele se sentava, se lambia para se limpar da viagem e então estava pronto para enfrentar o dia.

Eu me sentia da mesma forma em relação a nosso novo local favorito. Depois de todos os problemas que tivera na Covent Garden ao longo dos anos, Islington parecia um novo começo para nós dois. Eu me sentia como se estivéssemos começando uma nova era e que, dessa vez, ela duraria.

O distrito de Angel era diferente de Covent Garden e das ruas ao redor da Zona Oeste de muitas maneiras sutis. No centro de Londres, as ruas eram repletas de turistas em sua maioria e, à noite, de pessoas indo para as baladas da Zona Oeste e ao teatro. Angel não era tão lotado, mas a estação de metrô ainda via um volume enorme de pessoas derramando--se para dentro e para fora a cada dia.

Era um tipo completamente diferente de pessoas, no entanto. Havia ainda um grande número de turistas, é claro, muitos deles atraídos pelos restaurantes e por redutos de arte como o Sadler's Wells e o Islington Business Design Centre.

Mas era também um lugar mais profissional e, por falta de uma palavra melhor, mais "luxuoso". Toda noite, notava hordas de pessoas em traje social entrando na estação de metrô e saindo dela. A má notícia é que a maioria delas mal havia registrado o fato de que havia um gato laranja sentado do lado de fora da estação. A boa notícia era que uma grande proporção das que reduziam o ritmo e o avistavam se encantava imediatamente com Bob. Elas também eram muito generosas. Percebi imediatamente que as compras e o valor médio das gorjetas em Islington eram ligeiramente maiores do que em Covent Garden.

Os moradores do Angel também eram generosos de uma forma diferente dos moradores de Covent Garden. Quase tão logo comecei a vender a *Big Issue* ali, as pessoas passaram a dar comida para Bob.

A primeira vez que isso aconteceu foi em nosso segundo ou terceiro dia. Uma senhora muito bem vestida parou para conversar. Ela me perguntou se ficaríamos ali todos os dias, a partir de agora, o que me pareceu um pouco suspeito. Será que ela faria algum tipo de reclamação? Eu estava completamente dentro das regras, entretanto. No dia seguinte, ela apareceu com uma sacolinha do Sainsbury's contendo um pouco de leite para gatos e um sachê de ração Sheba.

— Aqui está, Bob — ela disse alegremente, colocando-os na calçada na frente de Bob.

— Ele provavelmente vai preferir comer em casa esta noite, se estiver tudo bem — disse, agradecendo-lhe.

— É claro — disse ela. — O importante é que ele goste.

Depois disso, mais e mais moradores começaram a doar comidinhas saborosas para ele.

Nosso ponto ficava no caminho de um grande supermercado Sainsbury's. Logo se tornou evidente que as pessoas iam lá para fazer suas compras normais e aproveitavam para comprar uma guloseima para dar a Bob no caminho de volta. Elas, então, entregavam seus presentinhos no caminho para casa.

Um dia, apenas algumas semanas depois que começamos a trabalhar no Angel, cerca de meia dúzia de pessoas diferentes fez isso. No final do dia, eu nem conseguia enfiar na mochila todas as latas de leite para gatos, pacotes de comida e latas de atum e de outros peixes que foram se acumulando ao longo do dia. Tive que colocar tudo em um grande saco do Sainsbury's. Quando voltei para o apartamento, enchi uma prateleira inteira de um dos armários da cozinha. Aquilo manteve Bob por quase uma semana.

Outro aspecto no qual aquele era um mundo à parte em relação a

Covent Garden era a atitude da equipe na estação de metrô. Em Covent Garden eu era o Anticristo, quase uma figura digna de ódio. Poderia contar nos dedos da mão o número de pessoas com quem forjara uma boa amizade nos anos em que fizera apresentações de rua ou vendera a *Big Issue*. Na verdade, nem precisava de uma mão para contar. Eu era capaz de pensar em duas pessoas, no máximo.

Por outro lado, a equipe do Angel foi realmente calorosa e generosa com Bob desde o início. Um dia, por exemplo, o sol estava extremamente quente. O termômetro deve ter batido na casa dos 32 graus em algum momento. Todo mundo estava andando em mangas de camisa, embora, tecnicamente, fosse outono. Eu estava suando como louco com meus jeans pretos e camiseta preta.

Deliberadamente, coloquei Bob na sombra do prédio atrás de nós, para que ele não ficasse muito quente. Sabia que o calor era ruim para os gatos. Uma hora depois de termos nos estabelecido em nosso ponto, ficou claro para mim que eu logo precisaria conseguir um pouco de água para Bob. Mas, antes que eu fosse capaz de fazer alguma coisa, uma figura apareceu de dentro da estação do metrô com uma bela tigela de aço, limpa e cheia de água fresca. Reconheci a senhora imediatamente. Seu nome era Davika, uma das bilheteiras; ela já havia parado para conversar com Bob em diversas ocasiões.

— Aqui está, Bob — disse ela, acariciando-o atrás do pescoço enquanto colocava a tigela diante dele. — Nós não queremos que você fique desidratado, né? — disse, encorajando-o.

Ele não demorou um só instante para se inclinar e sorver a água.

Bob sempre teve essa capacidade de tornar-se querido pelas pessoas, mas nunca deixava de me surpreender quantas pareciam tornar-se dedicadas a ele. Ele havia conquistado a multidão de Islington em questão de semanas. Foi realmente incrível.

É claro, as coisas não eram perfeitas no Angel. Ali ainda era Londres, afinal. Nem tudo poderia ser um mar de rosas para sempre.

O maior problema era a concentração de pessoas que trabalhavam na área ao redor da estação de metrô. Ao contrário de Covent Garden, onde todas as ruas ao redor eram pulsantes de atividade, no Angel as coisas tendiam a se concentrar ao redor da estação. Então, como resultado, havia muitas pessoas que operavam nas ruas, de gente entregando revistas gratuitas a trabalhadores levantando doações, ou "assaltantes de caridade", como eram conhecidos.

Essa foi uma das maiores mudanças que notei desde que começara a trabalhar nas ruas uma década antes. As ruas estavam muito mais competitivas do que costumavam ser. Os "assaltantes de caridade" eram, em sua maioria, jovens hiperentusiastas que trabalhavam para instituições de caridade. Seu trabalho era agarrar os trabalhadores e turistas mais bem--sucedidos e levá-los a ouvir uma ladainha ensaiada sobre seu trabalho de caridade. Depois disso, tentavam persuadi-los a autorizar débitos automáticos em suas contas bancárias. Era como ser assaltado por uma instituição de caridade — daí o apelido: assaltantes de caridade.

Alguns eram de instituições de caridade para o Terceiro Mundo, outros, de instituições relacionadas à saúde, ao combate ao câncer ou a outras doenças, como a fibrose cística e o mal de Alzheimer. Eu não tinha problemas com a presença deles por ali, mas era a maneira como incomodavam as pessoas que me irritava. Tinha minha própria ladainha ensaiada de vendas para a *Big Issue*, é claro. Mas não era tão intrusivo ou tão chato como alguns deles. Eles seguiam as pessoas pela rua, envolvendo-as em conversas que elas não queriam ter.

Como resultado disso, via as pessoas saírem da estação de metrô, verem uma parede desses angariadores entusiastas, geralmente com suas camisetas de corres berrantes, e correrem deles. Muitas dessas pessoas eram potenciais compradoras da *Big Issue*, o que era muito irritante.

Se um deles realmente estivesse afastando as pessoas, eu tinha uma conversa com ele. Alguns dos angariadores de fundos encaravam isso tranquilamente. Eles me respeitavam e me davam espaço. Mas outros, não.

Um dia, entrei em uma discussão acalorada com um jovem estudante de cachos emaranhados estilo Marc Bolan. Ele realmente vinha irritando as pessoas, saltando ao redor delas e andando ao lado delas quando tentavam fugir. Decidi ter uma conversa com ele.

— Ei, cara, você está tornando a vida difícil para o restante das pessoas que estão trabalhando aqui — disse, tentando agir civilizadamente. — Você poderia ir alguns metros adiante ao longo da rua e nos dar algum espaço?

Ele ficou muito nervoso com isso.

— Eu tenho todo o direito de estar aqui — disse ele. — Você não pode me dizer o que fazer, e eu vou fazer o que quiser.

Se você quer irritar alguém, só precisa dizer algo assim. Então, eu o alertei para o fato de que, enquanto ele estava tentando fazer dinheiro para financiar seu "ano sabático", eu estava tentando fazer dinheiro para pagar minhas contas de luz e gás e para manter um teto sobre minha cabeça e a de Bob.

Sua expressão meio que se afundou quando expliquei nesses termos.

Outras pessoas que eram muito irritantes para mim eram as que distribuíam revistas gratuitas variadas que estavam sendo lançadas naquele momento. Algumas delas — como *StyleList* e *ShortList* — realmente eram revistas de boa qualidade, embora me causassem problemas sem fim, o mais simples dos quais se resumia a uma questão: por que as pessoas pagariam por minha revista quando podiam ganhar um gratuita daqueles distribuidores?

Assim, sempre que um delas invadia minha área, eu tentava explicar isso a ele. Eu dizia sem rodeios:

— Nós todos precisamos trabalhar, por isso você precisa me dar algum espaço para eu fazer meu trabalho. Você precisa ficar a, pelo menos, sete metros de distância.

Nem sempre funcionava, contudo, pois muitas vezes as pessoas que distribuíam essas revistas não falavam inglês. Eu tentava explicar a situação, mas elas não entendiam o que eu estava tentando lhes dizer. Outras, simplesmente, não queriam ouvir minhas queixas.

De longe, as pessoas mais irritantes que trabalhavam nas ruas a meu redor, no entanto, eram os agitadores de baldes: os trabalhadores de caridade que surgiam do nada com grandes baldes de plástico coletando fundos para a última causa da moda.

Mais uma vez, eu simpatizava com um monte de coisas para as quais eles estavam tentando levantar dinheiro: África, questões ambientais, direitos dos animais. Eram todas grandes questões para as quais valia a pena contribuir. Porém, se as histórias que eu havia ouvido sobre como grande parte do dinheiro desaparecia nos bolsos de alguns desses agitadores de baldes fossem verdade, eu não tinha muita compaixão. Muitos deles não tinham licenças nem nenhum tipo de identificação válida. Se você observasse os crachás laminados em seus pescoços, eles poderiam ter vindo de alguma festa de aniversário de criança. Pareciam extremamente amadores.

No entanto, apesar disso, eles eram permitidos dentro das estações de metrô, lugar que era uma verdadeira zona proibida para um vendedor da *Big Issue*. Eu realmente me irritava quando via um agitador de balde no interior do saguão incomodando as pessoas. Às vezes, eles se postavam imediatamente contra as catracas. Quando os passageiros e os visitantes surgiam saindo da estação, geralmente não estavam com vontade alguma de serem convencidos a comprar a *Big Issue*.

Creio que isso era um tipo de inversão de papéis. Em Covent Garden, eu era o rebelde que não se atinha às áreas designadas e infringia as leis sempre que possível. Agora, estava no outro extremo da equação.

Eu era o único vendedor licenciado na área externa da estação de metrô. E eu tinha um acordo com relação às áreas nas quais podia e nas quais não podia ficar com os outros principais vendedores presentes — o jornaleiro e a florista, em particular. Os assaltantes de caridade, os vendedores ambulantes e os agitadores de baldes passavam por cima dessas regras. Acho que algumas pessoas considerariam isso irônico. Mas houve momentos em que, preciso admitir, simplesmente não consegui ver o lado engraçado da coisa.

Capítulo 17

Quarenta e Oito Horas

O jovem médico na UDD rabiscou sua assinatura na parte inferior da prescrição e a entregou para mim com uma expressão séria no rosto.

— Lembre-se: tome este e depois volte aqui, no mínimo, 48 horas mais tarde, quando sentir que os sintomas da abstinência realmente bateram — disse ele, sustentando meu olhar. — Vai ser difícil, mas vai ser muito mais difícil se você não fizer como eu disse. Ok?

— Sim, entendi — assenti, levantando-me e saindo do consultório. — Só espero conseguir. Vejo você em dois dias.

Eu vinha retornando às minhas consultas quinzenais havia dois meses desde que conversáramos pela primeira vez sobre a retirada da metadona. Pensava estar preparado para isso, mas meus conselheiros e médicos, obviamente, não compartilhavam dessa opinião. A cada vez que eu vinha, eles continuavam adiando. Não havia recebido nenhum tipo de explicação para isso. Agora, finalmente, eles decidiram que era a hora: eu daria o passo final para estar limpo.

A prescrição que o conselheiro havia acabado de me dar era para minha última dose de metadona. A metadona me ajudava a me livrar de minha dependência de heroína. Mas havia reduzido o uso de tal forma que era o momento de parar de tomá-la de uma vez por todas.

Quando voltasse para a UDD dentro de dois dias, receberia minha primeira dose de uma medicação muito mais suave, o Subutex, a qual me ajudaria a sair da dependência de drogas completamente. O conselheiro descreveu o processo como a aterrissagem de um avião, o que considerei uma boa analogia. Nos meses seguintes, ele cortaria minha dosagem lentamente, até que ela fosse quase inexistente. Enquanto fazia isso, ele disse que eu desceria lentamente de volta à terra, aterrissando — espero — com um solavanco muito suave.

Enquanto esperava que a prescrição fosse preenchida, realmente não me debrucei sobre o significado daquilo. Minha cabeça estava ocupada demais com pensamentos sobre o que estava por vir nas próximas 48 horas.

O conselheiro me explicara o risco em detalhes gráficos. Abandonar a metadona não era fácil. Na verdade, era muito difícil. Eu experimentaria a "noia" ou "fissura", uma série de sintomas físicos e mentais desagradáveis decorrentes da abstinência. Eu tinha que esperar que esses sintomas se tornassem muito severos antes que pudesse voltar à clínica para pegar minha primeira dose de Subutex. Se não agisse assim, estaria arriscando ter o que é conhecido como abstinência precipitada. Isso era, basicamente, uma abstinência muito pior. Não suportara pensar nisso.

Nesse momento, estava confiante de que poderia fazê-lo. Mas, ao mesmo tempo, tinha um sentimento irritante e horrível de que poderia falhar e acabar querendo algo que me fizesse sentir melhor. Mas continuei dizendo a mim mesmo que precisava fazer isso, que precisava superar esse último obstáculo. Caso contrário, ele seria o mesmo no dia seguinte, e no dia seguinte, e no dia seguinte novamente. Nada mudaria.

Essa era a realidade da qual eu finalmente me dei conta. Estava vivendo dessa forma havia dez anos. Grande parte de minha vida havia escorrido entre meus dedos. Havia perdido muito tempo sentado, assistindo aos dias desaparecem. Quando se é dependente de drogas, os minutos tornam-se horas e as horas tornam-se dias. Tudo simplesmente esvanece; o tempo torna-se irrelevante e você só começa a se preocupar com isso quando precisa de uma nova dose. Até esse momento, você nem sequer se importa.

Mas é aí que as coisas se tornam terríveis. Nessa hora, tudo em que você é capaz de pensar é em conseguir o dinheiro para comprar mais. Havia feito um enorme progresso desde que afundara nas profundezas de meu vício em heroína, anos atrás. A UDD realmente havia me colocado de volta nos trilhos. Mas estava cansado de tudo aquilo agora. Ter que ir a uma farmácia a cada dia, ter que visitar a UDD a cada quinzena. Ter que provar que eu não estava usando. Eu já havia me esgotado daquilo. Agora, sentia que tinha algo a ver com minha própria vida.

De certa forma, havia tornado as coisas mais duras para mim mesmo, insistindo em fazê-las sozinho. Várias vezes eu recebera a oportunidade de me juntar aos Narcóticos Anônimos, mas simplesmente não gostava de todo o programa de 12 passos. Não poderia fazer aquele tipo de coisa quase religiosa. Era quase como se tivesse que me entregar a um poder superior. Isso simplesmente não funcionava para mim.

Percebi que estava tornando a vida ainda mais difícil para mim ao escolher esse caminho. A diferença era que eu não estava sozinho agora. Eu tinha Bob.

Como de costume, não o levei comigo até a clínica da UDD. Não gostava de expô-lo àquele lugar. Era uma parte de minha vida da qual não me orgulhava, ainda que sentisse que havia avançado muito desde que a visitara pela primeira vez.

Quando cheguei ao apartamento, ele ficou feliz em me ver, especialmente porque eu havia parado no supermercado no caminho de casa e trouxera um saco cheio de guloseimas para comermos pelos dois dias seguintes. Qualquer pessoa que esteja tentando se livrar de um vício sabe como que é. Se a pessoa está tentando largar o cigarro ou o álcool, as primeiras 48 horas são as mais difíceis. Ela está tão acostumada a obter sua "compensação" que não pode pensar em outra coisa. O truque é pensar em outra coisa, obviamente. E isso era o que eu esperava fazer. Estava muito grato por ter Bob para me ajudar a conseguir.

No almoço, nós nos sentamos diante da televisão, comemos um lanche juntos — e esperamos.

O efeito da metadona geralmente durava cerca de 20 horas, de modo que a primeira parte do dia passou com bastante facilidade. Bob e eu brincamos muito e saímos para um passeio curto para que ele pudesse fazer suas necessidades. Joguei uma versão muito antiga do jogo *Halo 2* original em meu Xbox velho e surrado. Nesse ponto, tudo parecia estar indo de vento em popa. Mas sabia que não ficaria assim por muito mais tempo.

Provavelmente, a recriação mais famosa de alguém em síndrome de abstinência está no filme *Trainspotting*, em que o personagem de Ewan McGregor, Renton, decide se livrar do vício em heroína. Ele está trancado em um quarto com comida e bebida para alguns dias e é deixado sozinho para enfrentar aquilo. Ele passa pela experiência física e mental mais tenebrosa que se pode imaginar, sofrendo tremores, tendo alucinações, passando mal. Todas essas coisas. Todo mundo se lembra da parte em que ele imagina que está subindo pelas paredes do vaso sanitário.

O que eu passei ao longo das 48 horas seguintes pareceu dez vezes pior do que aquilo.

Os sintomas de abstinência começaram a se manifestar exatamente 24 horas depois que recebi minha dose de metadona. Dentro de oito horas, estava suando em bicas e me sentindo muito nervoso. Estava mais ou menos no meio da noite e deveria estar dormindo. Eu cochilei, mas senti que estava muito consciente o tempo todo. Era um tipo estranho de sono, cheio de sonhos ou, mais precisamente, de alucinações.

É difícil lembrar exatamente, mas me recordo de ter sonhos lúcidos sobre conseguir heroína. Houve um monte desses sonhos e eles sempre eram da mesma forma: ou eu a conseguia e a derrubava, ou eu a conseguia e não era capaz de enfiar uma agulha em minha veia, ou conseguia a heroína, mas depois era preso pela polícia antes que pudesse usá-la. Foi estranho. Obviamente, foi a forma como meu corpo registrou o fato de que essa substância estava sendo negada a ele, uma vez que havia sido usada para alimentá-lo a cada 12 horas ou algo assim. Mas também era meu subconsciente tentando me convencer de que talvez fosse uma boa ideia começar a usá-la novamente. No fundo de meu cérebro havia, claramente, uma grande batalha de vontades acontecendo. Era quase como se eu fosse um espectador vendo tudo isso acontecer com outra pessoa.

Foi estranho. Largar a heroína anos atrás não tinha sido tão ruim. A transição para a metadona fora razoavelmente simples. Essa era uma experiência completamente diferente.

O tempo deixou de ter qualquer significado real, mas, na manhã seguinte, estava começando a sentir dores de cabeça muito ruins, quase no nível de dores de enxaqueca. Como resultado, achei difícil lidar com qualquer luz ou barulho. Eu tentava me sentar no escuro, mas, então, começava a sonhar ou a alucinar e queria me arrancar dali. Era um círculo vicioso.

O que eu precisava mais do que tudo era algo que tirasse minha mente daquela situação, e foi nesse ponto que Bob provou ser minha salvação.

Houve momentos em que eu me perguntava se Bob e eu tínhamos algum tipo de entendimento telepático. Ele definitivamente podia ler minha mente às vezes, e pareceu estar fazendo isso naquele momento.

Ele sabia que eu precisava dele, por isso foi uma presença constante, andando a meu redor, aconchegando-se em mim quando eu o convidava, mas mantendo distância quando eu estava passando por um mau momento.

Era como se ele soubesse o que eu estava sentindo. Algumas vezes, enquanto eu cochilava, ele se aproximava de mim e colocava o rosto perto do meu, como se dissesse: "Tudo bem aí, companheiro? Estou aqui se precisar de mim". Em outros momentos, ele simplesmente sentava--se comigo, ronronando, esfregando a cauda em mim e lambendo meu rosto de vez em quando. Enquanto eu deslizava para dentro e para fora de um universo estranho, alucinatório, ele era minha âncora na realidade.

Ele foi uma dádiva de Deus de outras maneiras também. Para começar, deu-me algo para fazer. Eu ainda tinha que o alimentar, o que fiz regularmente. O processo de ir até a cozinha, abrir um saquinho de comida e misturá-lo na tigela era exatamente o tipo de coisa de que precisava para manter minha mente fora do que eu estava passando. Não me senti bem o bastante para levá-lo para baixo, para fazer suas necessidades, mas, quando eu o deixei sair, ele saiu correndo e voltou para o apartamento novamente no que pareceram ser apenas alguns minutos. Ele não parecia querer sair do meu lado.

Houve períodos em que não me senti tão mal. Durante a manhã do segundo dia, por exemplo, houve algumas horas em que me senti muito melhor. Bob e eu brincamos muito. Dediquei-me um pouco à leitura. Foi difícil, mas foi uma maneira de manter a mente ocupada. Li um livro muito bom não fictício sobre um oficial da Marinha salvando cães no Afeganistão. Foi bom pensar sobre o que estava acontecendo na vida de outra pessoa.

Pela tarde e no início da noite do segundo dia, no entanto, os sintomas de abstinência realmente passaram a se exacerbar. O pior de tudo era a questão física. Havia sido advertido de que, quando você passa pela síndrome de abstinência, tem o que é chamado de síndrome das pernas inquietas. De fato, você sente impulsos nervosos incrivelmente desconfortáveis, que correm ao longo do corpo, tornando impossível ficar parado. Eu comecei a sentir isso. Minhas pernas, de repente, começaram a chutar involuntariamente — não é à toa que o processo se chama "chutar o vício". Creio que isso assustou Bob um pouco. Ele me lançou alguns olhares estranhos de canto. Mas não me abandonou; ele ficou ali, ao meu lado.

Aquela noite foi a pior de todas. Eu não podia ver televisão, porque a luz e o ruído faziam minha cabeça doer. Quando ia para a escuridão, só encontrava minha mente correndo, preenchendo-se com todo tipo de coisas loucas e, às vezes, assustadoras. Minhas pernas ficavam chutando o tempo todo e eu sentia extremos de calor e de frio. Num minuto, eu estava tão quente que era como se estivesse dentro de um forno. No minuto seguinte, sentia-me frio como gelo. O suor que havia me coberto, de repente, começava a congelar, e daí eu começava a tremer. Então, precisava me cobrir e começava a queimar novamente. Era um ciclo horrível.

De vez em quando eu tinha momentos de lucidez e clareza. Em certo momento, lembro-me de pensar que havia realmente compreendido por que tantas pessoas achavam tão difícil chutar para longe seus vícios em drogas. É uma coisa física, além de mental. A batalha de vontades que acontece no cérebro dessa pessoa é muito unilateral. As forças do vício são definitivamente mais fortes do que aquelas que estão tentando manter a pessoa afastada das drogas.

Em outro momento, fui capaz de analisar a última década e o que meu vício havia feito por mim. Eu tive um vislumbre — e, algumas vezes, até senti o cheiro — das vielas e das passagens cobertas onde eu havia dormido ao relento, os albergues onde temera por minha vida, as coisas terríveis que havia feito e considerado fazer apenas para conseguir droga o suficiente para aguentar as próximas 12 horas. Vi com uma clareza inacreditável quão seriamente o vício havia bagunçado minha vida.

Também tive alguns pensamentos estranhos, quase surreais. Por exemplo, em determinado momento, ocorreu-me que, se eu acordasse com amnésia, conseguiria passar pela abstinência, pois não saberia o que havia de errado comigo. Muitos de meus problemas vinham do fato de que meu corpo sabia exatamente o que havia de errado comigo e o que eu poderia fazer para corrigir isso. Não vou negar que houve momentos de fraqueza em que isso passou por minha cabeça, quando me imaginei saindo para procurar droga. Mas fui capaz de afastar esses pensamentos muito facilmente. Essa era minha chance de me livrar, talvez minha última chance. Eu tinha que ficar forte, tinha que enfrentar aquilo: a diarreia, as cólicas, o vômito, as dores de cabeça, as oscilações absurdas de temperatura — tudo isso.

Aquela segunda noite pareceu durar para sempre. Eu olhava para o relógio e, às vezes, era como se ele estivesse se movendo para trás. Do lado de fora, a escuridão parecia ficar ainda mais profunda e negra, em vez de clarear para o amanhecer. Foi horrível.

Mas eu tinha minha arma secreta. Bob me irritou em certos momentos. Em uma fase, eu estava deitado, tão imóvel e silencioso quanto possível, tentando calar o mundo. De repente, senti Bob arranhando minha perna, cavando em minha pele de forma bastante dolorosa.

— Bob, que diabos você está fazendo? — gritei para ele de uma forma um tanto agressiva demais, fazendo-o saltar.

Imediatamente, senti-me culpado. Suspeito que ele estivesse preocupado por eu estar imóvel demais e em silêncio e estivesse tentando ter certeza de que eu estava vivo. Ele estava preocupado comigo.

Finalmente, uma fina luz cinza empastada começou a se filtrar através da janela, sinalizando que a manhã havia finalmente chegado. Eu me arrastei para fora da cama e olhei para o relógio. Eram quase oito horas. Eu sabia que a clínica abriria às nove. Não podia esperar mais.

Joguei um pouco de água fria no rosto. A sensação foi totalmente horrível em minha pele úmida. Pude ver no espelho que eu parecia tenso e meu cabelo estava uma bagunça suada. Mas não me preocupei com isso naquele momento. Em vez disso, vesti uma roupa qualquer e fui direto para o ponto de ônibus.

Chegar a Camden saindo de Tottenham naquela hora do dia sempre foi uma guerra. Nesse dia, parecia muito pior. Todos os semáforos estavam no vermelho, cada estrada parecia ter um grande engarrafamento. Realmente, foi uma viagem infernal.

Quando me sentei no ônibus, ainda estava tendo aquelas grandes variações de temperatura, suando um momento, tremendo no outro; meus membros ainda estavam se contraindo de vez em quando, embora não tanto quanto durante a noite. As pessoas olhavam para mim como se eu fosse algum tipo de maluco. Provavelmente, parecia estar incrivelmente mal. Àquela altura, eu não me importava. Só queria chegar à UDD.

Cheguei pouco depois das nove horas e encontrei a sala de espera já lotada pela metade. Uma ou duas pessoas pareciam estar se sentindo tão mal quanto eu. Eu me perguntava se elas haviam passado 48 horas tão infernais quanto aquelas pelas quais havia acabado de passar.

— Oi, James, como você está se sentindo? — perguntou o conselheiro quando entrou na sala de tratamento. Ele só precisava olhar para mim para saber a resposta, é claro, mas apreciei sua preocupação.

— Nada bem — disse eu.

— Bom, você fez bem ao enfrentar os últimos dois dias. Deu um grande passo. — Ele sorriu.

Fez uma avaliação geral e pediu que eu fornecesse uma amostra de urina. Depois disso, deu-me um comprimido de Subutex e rabiscou uma receita nova, dessa vez, pedindo esse novo medicamento.

— Isso deve fazer você se sentir muito melhor — disse ele. — Agora, vamos começar a livrá-lo do problema — e desse lugar, completamente.

Fiquei lá por um tempo para garantir que o novo medicamento não tivesse nenhum efeito colateral estranho. Não teve. Muito pelo contrário; na verdade, ele me fez sentir mil vezes melhor.

Quando, enfim, cheguei a Tottenham, sentia-me completamente transformado. Era uma sensação diferente da que eu havia experimentado com a metadona. O mundo parecia mais vivo. Sentia como se pudesse ver, ouvir e cheirar mais claramente. As cores eram mais brilhantes. Os sons, mais nítidos. Era esquisito. Pode soar estranho, mas eu me sentia mais vivo novamente.

Parei no caminho e comprei duas novas embalagens de comida da Sheba, com sabores que haviam chegado recentemente ao mercado, para Bob. Também comprei um brinquedinho para ele, um rato desses de apertar.

De volta ao apartamento, fiz uma algazarra enorme com ele.

— Nós conseguimos, companheiro! — disse. — Conseguimos!

O sentimento de conquista foi incrível. Ao longo dos próximos dias, a transformação de minha saúde e minha vida em geral foi enorme. Era como se alguém houvesse puxado as cortinas e lançado um pouco da luz do sol em minha vida.

É claro que, de certa forma, alguém havia feito isso mesmo.

Capítulo 18

De Volta para Casa

Eu não pensava que Bob e eu pudéssemos nos tornar ainda mais próximos, mas a experiência pela qual havíamos acabado de passar juntos estreitou ainda mais nossos laços. Nos dias que se seguiram, ele se colou em mim como chiclete, quase me vigiando, caso eu tivesse algum tipo de recaída.

Esse perigo não existia, entretanto. Eu me sentia melhor do que havia sentido em anos. A ideia de voltar para as dependências sombrias do passado me fazia estremecer. Eu havia chegado longe demais para voltar atrás agora.

Decidi comemorar meu avanço melhorando um pouco as coisas em meu pequeno apartamento. Assim, Bob e eu fizemos algumas horas extras por dia do lado externo da estação do metrô e depois usamos os recursos para comprar um pouco de tinta, algumas almofadas e duas gravuras para colocar na parede.

Então, fui a uma boa loja de móveis de segunda mão em Tottenham e comprei um belo sofá novo. Era de um tecido grosso, de cor vermelho vinho, e, com um pouco de sorte, seria o tipo de material capaz de resistir às garras de Bob. O antigo estava surrado, em parte pelo desgaste natural, mas também por causa do hábito de Bob de arranhar as pernas e a base. Ele estava proibido de arranhar o novo.

Conforme as semanas passaram e as noites ficaram ainda mais escuras e frias, passávamos cada vez mais tempo encolhidos no sofá novo. Eu já esperava ansiosamente por um Natal agradável para mim e Bob, embora essa expectativa tenha provado ser um tanto prematura.

Não era sempre que eu recebia alguma correspondência além das contas. Por isso, quando vi uma carta em minha caixa postal no corredor do prédio, numa manhã no início de novembro de 2008, imediatamente a notei. Era um envelope do correio aéreo e tinha um carimbo — Tasmânia, Austrália.

Era de minha mãe.

Nós não mantínhamos um contato verdadeiro havia anos. No entanto, apesar da distância que se instalara entre nós, a carta era muito extensa e afetuosa. Ela explicou que havia se mudado para uma nova casa na Tasmânia. Parecia estar muito feliz por lá.

O objetivo principal da carta, no entanto, era me fazer um convite. "Se eu pagasse sua passagem aérea de ida e volta para a Austrália, você viria me visitar?", perguntou ela. Explicou que eu poderia ir no feriado de Natal. Sugeriu que eu também poderia fazer uma viagem para Melbourne, para ver meus padrinhos, de quem eu havia sido muito próximo.

"Avise-me quando decidir", disse ela, encerrando. "Com amor, mamãe."

Houve uma época em que teria jogado a carta diretamente no lixo. Eu era desafiador, teimoso e orgulhoso demais para aceitar esmolas de minha família.

Mas havia mudado. Minha cabeça estava em um lugar diferente agora. Havia começado a ver a vida com muito mais clareza; quase pude sentir um pouco da raiva e da paranoia que sentira no passado desfazendo-se. Por isso, decidi pensar um pouco no assunto.

Não era uma decisão fácil, longe disso. Havia muitos prós e contras a serem levados em consideração. O maior argumento a favor, obviamente, era que eu poderia ver minha mãe novamente. Não importava quantos altos e baixos tivéramos ao longo dos anos, ela era minha mãe e eu sentia sua falta.

Estivéramos em contato algumas vezes desde que eu sucumbira e acabara nas ruas, mas nunca fora honesto com ela sobre o que realmente havia acontecido. Nós nos encontráramos uma única vez nos últimos dez anos, quando ela passara rapidamente pela Inglaterra. Eu fora a seu encontro em um pub perto da Floresta Epping. Subira pela District Line até lá e passara três ou quatro horas com ela. Por não ter voltado à Austrália após seis meses, como era o combinado, eu inventara uma história para ela sobre ter formado uma banda em Londres e dissera que não voltaria enquanto estivéssemos "tentando torná-la uma grande banda".

Eu me aferrara a essa história quando a encontrara no pub.

Não me sentia muito bem por lhe contar um monte de mentiras, mas não tivera coragem ou força para lhe dizer que estava dormindo ao relento, viciado em heroína e, basicamente, desperdiçando a vida.

Não tinha ideia de se ela acreditara em mim ou não. Naquele ponto de minha vida, realmente não me importava.

Nós conversamos algumas vezes depois disso, mas frequentemente passava meses a fio sem fazer contato, o que, com certeza, havia lhe causado muita dor.

Ela tinha percorrido distâncias incríveis para falar comigo às vezes. Eu não pensara em lhe telefonar quando aconteceram os atentados de 7 de julho ao metrô de Londres, em 2005; eu não estava — felizmente — nem perto das explosões, mas, presa do outro lado do mundo, minha mãe não tinha ideia de que eu estava bem. Nick, o cara com quem ela ainda estava, servia na força policial na Tasmânia naquela época. De alguma forma, ele conseguira convencer um membro da polícia metropolitana a fazer um favor a ele e a minha mãe. Eles me procuraram em seus registros e enviaram dois policiais até meu B&B em Dalston certa manhã.

Eles simplesmente me mataram de medo quando chegaram batendo na porta.

— Não se preocupe, companheiro, você não fez nada de errado — disse um deles quando abri a porta, provavelmente parecendo petrificado. — É só que há duas pessoas do outro lado do mundo que querem saber se você está vivo.

Fui tentado a fazer uma piada e dizer que eles quase me causaram um ataque cardíaco, mas decidi não fazer. Não pareciam estar muito felizes por ter recebido a tarefa de verificar como eu estava.

Entrei em contato com mamãe e assegurei-lhe que eu estava bem. Mais uma vez, não havia sequer considerado que alguém poderia ter se preocupado comigo. Não pensava dessa forma naquele tempo. Estava por minha conta e preocupado apenas com minha própria sobrevivência.

Mas agora eu havia mudado.

Depois de todos aqueles anos de negligência e engano, essa poderia ser minha chance de fazer as pazes com ela e contar toda a verdade. Senti que precisava fazer isso.

Outro aspecto positivo óbvio era que eu conseguiria ter férias decentes ao sol, algo de que havia sido privado por anos vivendo em Londres e trabalhando principalmente à noite. Eu ainda me sentia esgotado pela experiência de passar para minha nova medicação e sabia que algumas semanas em um ambiente agradável poderiam me fazer muito bem. Minha mãe disse que estava vivendo em uma pequena fazenda perdida no meio do nada, perto de um rio. Parecia algo idílico. A Austrália, ou, mais especificamente, a paisagem australiana, sempre ocupou um lugar especial em meu coração. Reconectar-me com ela seria bom para minha alma.

A lista dos prós era longa. A lista dos contras, no entanto, era ainda maior. E no topo da lista estava minha maior preocupação de todas: Bob. Quem cuidaria dele? Como eu poderia ter certeza de que ele estaria ali, esperando por mim, quando eu voltasse? Será que eu realmente queria ser separado de minha alma gêmea por semanas a fio?

A resposta para a primeira pergunta apresentou-se quase imediatamente. No momento em que mencionei a questão, Belle se ofereceu para cuidar dele no apartamento dela. Sabia que ela era totalmente confiável e que cuidaria dele. Mas eu ainda me perguntava qual seria o efeito disso sobre ele.

Outra grande preocupação era o dinheiro. Minha mãe poderia estar se oferecendo para pagar minha passagem, mas ainda assim eu não teria permissão para entrar na Austrália sem nenhum dinheiro. Fiz algumas pesquisas e descobri que precisaria de, pelo menos, 500 libras em dinheiro para ser admitido no país.

Passei alguns dias pesando os dois lados da questão, mas, finalmente, decidi que iria. Por que não? A mudança de cenário e um pouco de sol me fariam bem.

Eu tinha muito o que fazer. Para começar, precisava obter um novo passaporte, o que não era fácil, dada a forma como minha vida havia se desintegrado nos últimos anos. Uma assistente social me deu uma mão e me ajudou a organizar a documentação necessária, incluindo a certidão de nascimento.

Depois, tive que escolher os voos. O melhor negócio, de longe, era voar com a Air China para Pequim e depois até Melbourne. Era uma viagem muito mais longa e envolvia uma escala demorada em Pequim. Mas era uma opção muito mais barata que qualquer outra no mercado. Minha mãe havia me dado um endereço de e-mail. Mandei um e-mail para ela com todos os detalhes, incluindo o número de meu novo passaporte. Alguns dias depois, recebi um e-mail de confirmação do site através do qual minha mãe havia reservado as passagens. Eu estava a caminho.

Tudo o que tinha que fazer agora era levantar 500 libras. Fácil.

O voo que eu havia encontrado estava indo para a Austrália na primeira semana de dezembro. Portanto, nas semanas seguintes, trabalhei a cada hora do dia sob qualquer condição climática. Bob veio comigo na maioria dos dias, embora eu o deixasse em casa quando estava chovendo muito. Sabia que ele não gostava disso e não queria correr o risco de vê--lo pegar um resfriado ou ficar doente antes que eu partisse. De forma alguma, seria capaz de ir para a Austrália sabendo que ele estava doente outra vez.

Logo comecei a poupar um pouco de dinheiro, guardando-o em uma caixinha de chá que eu havia encontrado. De forma lenta, mas contínua, ela começou a se encher. Quando minha data de partida chegou, eu tinha o suficiente para fazer a viagem.

Fui para Heathrow com o coração pesado. Eu disse adeus a Bob no apartamento de Belle. Ele não pareceu muito preocupado, mas, naquele momento, ele não tinha ideia de que eu ficaria afastado por quase seis semanas. Sabia que ele estaria seguro com Belle, mas isso não me impediu de ficar aflito. Realmente havia me tornado um pai paranoico.

Se havia imaginado que a viagem para a Austrália seria uma aventura agradável e relaxante, estava muito enganado. As 36 horas ou mais de duração da viagem foram um completo pesadelo.

Ela começou bem tranquila. O voo da Air China para Pequim levou 11 horas e transcorreu sem incidentes. Eu assisti ao filme que passou durante o voo e fiz uma refeição, mas achei difícil dormir, pois não estava me sentindo exatamente fantástico. Isso se devia, em parte, à minha medicação, mas também, em parte, ao clima úmido de Londres. Talvez eu houvesse passado muitas horas vendendo a *Big Issue* na chuva. Eu estava com um resfriado horrível e fiquei espirrando durante todo o voo. Recebi alguns olhares engraçados das comissárias de bordo e de alguns de meus companheiros de viagem quando tive um ataque de espirros, mas não liguei para isso até que desembarcamos em Pequim.

À medida que taxiava em direção ao terminal, houve um anúncio do capitão pelo sistema de autofalantes. Primeiramente, foi em chinês, mas depois houve uma tradução em inglês. Ele basicamente disse que devíamos permanecer em nossos lugares até que fôssemos convidados a sair do avião.

— Estranho — pensei.

A próxima coisa que vi foram dois oficiais uniformizados chineses usando máscaras. Eles estavam passando pelo corredor — exatamente em minha direção. Quando chegaram a meu lado, um deles sacou um termômetro.

Uma comissária de bordo estava ali para traduzir:

— Esses homens são do governo chinês. Precisam medir sua temperatura — disse ela.

— Ok — respondi, sentindo que aquele não era o momento para discutir.

Abri bem a boca e permaneci sentado, enquanto um dos oficiais ficou olhando para o relógio. Depois que eles murmuraram algo em chinês, a comissária disse:

— Você precisa acompanhar esses homens para passar por algumas avaliações médicas de rotina.

Era 2008 e estávamos no auge do medo da gripe suína. A China, em particular, estava incrivelmente preocupada com isso. Eu havia assistido a uma reportagem sobre essa notícia poucos dias antes, na qual se debatia a maneira como as pessoas estavam sendo mandadas de volta da China caso houvesse o menor indício de que estivessem infectadas. Diversas pessoas estavam sendo colocadas em quarentena e mantidas ali por dias.

Por isso, fiquei um pouco apreensivo quando saí com eles. Eu me imaginei sendo enfiado em alguma ala de isolamento chinesa por um mês.

Eles fizeram todo tipo de testes comigo, desde exames de sangue até esfregaços. Provavelmente encontraram todo tipo de coisas interessantes

— mas nenhum vestígio de gripe suína, síndrome respiratória aguda grave (SARS) ou qualquer outra coisa contagiosa. Depois de algumas horas, um oficial levemente pesaroso me disse que eu estava livre para prosseguir.

O único problema era que eu precisava achar o caminho de volta até meu voo de conexão e me perdi dentro daquele espaço enorme com aparência de hangar que é o aeroporto de Pequim.

Eu tinha cerca de três horas para pegar minha bagagem e meu voo de conexão. Fazia anos desde que eu estivera em um terminal de aeroporto. Havia esquecido como eles eram grandes e impessoais, e aquele era especialmente assim. Tive que pegar um trem de uma parte do Terminal 3 para outra parte.

Depois de algumas voltas erradas, encontrei meu voo de conexão faltando menos de uma hora para o horário previsto para decolar. Dei um enorme suspiro de alívio quando afundei em meu assento no avião e dormi como uma pedra no voo para Melbourne, principalmente devido à exaustão.

Mas, então, em Melbourne, deparei-me com outro problema.

Ao passar pela zona aduaneira, de repente, percebi que havia um cão labrador cheirando minha bagagem animadamente.

— Desculpe, senhor, você se importaria em nos acompanhar? — perguntou um guarda da alfândega.

Oh, Deus, pensei. *Eu nunca vou conseguir encontrar minha mãe.*

Fui levado para uma sala de inspeção, onde eles começaram a mexer em minhas coisas. Então, passaram um detector de drogas elétrico em minha bolsa. Soube que havia algum problema pelas expressões no rosto deles.

— Temo que sua bagagem tenha dado sinal positivo para cocaína — disse o guarda.

Eu fiquei chocado. Não tinha ideia de como isso era possível. Eu não usava cocaína e realmente não conhecia ninguém que usasse. Nenhum de meus amigos podia pagar por isso.

Enfim, eles disseram que não era ilegal que eu tivesse vestígios de cocaína para uso pessoal.

— Se o senhor é um usuário casual e ela se destina para consumo privado, tudo o que precisa fazer é nos dizer, e aí pode seguir adiante — disse o guarda.

Expliquei minha situação:

— Eu estou em um programa de recuperação de dependência química, por isso não uso nada casualmente — afirmei. Então, mostrei-lhes uma carta que meu médico me dera, explicando por que eu estava usando Subutex.

Finalmente, eles tiveram de ceder. Revistaram-me pela última vez e me liberaram. Quando saí da zona aduaneira, quase uma hora havia se passado. Tive que pegar outro voo até a Tasmânia, o que me custou mais algumas horas. Cheguei lá no início da noite, completamente exausto.

Ver minha mãe foi maravilhoso. Ela estava esperando no aeroporto na Tasmânia e me deu dois abraços bem demorados. Ela estava chorando. Estava feliz em me ver vivo, creio eu. Fiquei muito feliz em vê-la também, embora não tenha chorado.

A casa era tão adorável quanto ela descrevera em sua carta. Era um bangalô grande e arejado com um enorme espaço ajardinado na parte de trás. Era cercado por terra cultivável, com um rio correndo ao fundo do terreno. Era um lugar muito tranquilo e pitoresco.

Ao longo daquele mês eu me desliguei, relaxei, recuperei-me e reiniciei-me. Dentro de algumas semanas, senti-me como uma pessoa diferente. As ansiedades de Londres estavam — literalmente — a milhares de quilômetros de distância, pouco mais de dez mil, para ser exato. Os instintos maternais de minha mãe dispararam, e ela se certificou de que eu me alimentasse bem. Pude sentir minha força retornando. Também pude sentir que eu e minha mãe estávamos reparando nosso relacionamento.

No início, não conversamos muito profundamente sobre as coisas, mas, com o tempo, comecei a me abrir. Então, certa noite, enquanto estávamos sentados na varanda, olhando o sol se pôr, eu bebi um pouco e, de repente, tudo veio à tona. Não foi uma grande confissão, não houve nenhum drama de Hollywood. Eu simplesmente falei... e falei.

As comportas emocionais vinham esperando para estourar havia um tempo. Durante anos havia usado drogas para escapar de minhas emoções — de fato, para me certificar de que não tivesse nenhuma. De forma lenta, mas segura, havia mudado isso. E agora minhas emoções estavam voltando.

Enquanto eu explicava alguns dos pontos baixos pelos quais havia passado ao longo dos últimos dez anos, minha mãe parecia estar horrorizada, como qualquer mãe teria ficado.

— Eu imaginei que você não estava mesmo indo tão bem quando nos vimos, mas nunca pensei que estivesse tão ruim — disse ela, à beira das lágrimas.

Às vezes, ela apenas ficava ali, sentada, com a cabeça entre as mãos e murmurando a palavra "por que" de vez em quando.

— Por que você não me disse que havia perdido seu passaporte?

— Por que não me ligou e pediu ajuda?

— Por que não entrou em contato com seu pai?

Inevitavelmente, ela se culpou por tudo aquilo. Disse que sentia como se houvesse me decepcionado, mas eu lhe disse que não a culpava. A verdade era que eu havia me deixado afundar. Em última análise, não havia mais ninguém para culpar.

— Você não decidiu dormir em caixas de papelão e começou a se empanturrar de heroína todas as noites. Fui eu quem agiu assim — eu disse a certa altura. O que a levou a chorar também.

Uma vez que havíamos quebrado o gelo, por assim dizer, conversamos muito mais facilmente. Falamos um pouco do passado e de minha infância na Austrália e na Inglaterra. Eu me senti confortável sendo honesto com ela. Disse que sentia que ela era uma figura distante quando eu era mais jovem e que ser criado por babás e mudar várias vezes de casa exercera um grande impacto sobre mim.

Naturalmente, tudo aquilo a perturbou, mas ela alegou que estivera tentando conseguir uma renda para nós, manter um teto sobre nossas cabeças. Eu entendi seu ponto, mas ainda queria que ela tivesse estado mais presente.

Nós rimos muito também; não foram apenas conversas pesadas. Admitimos como éramos parecidos um com o outro e rimos de algumas das brigas que costumávamos ter quando eu era adolescente. Ela admitiu que houvera um grande conflito de personalidade naquele tempo.

— Eu tenho uma personalidade forte e você também tem. Puxou a mim — disse ela.

Mas passamos a maior parte do tempo falando sobre o presente, não sobre o passado. Ela me fez todos os tipos de perguntas sobre o processo de reabilitação pelo qual eu havia passado e o que eu esperava conquistar, agora que estava quase limpo. Expliquei que se tratava de dar um passo de cada vez, mas que, com sorte, estaria totalmente limpo dentro de um ano ou algo assim. Às vezes, ela simplesmente me ouvia, algo que não fizera no passado. Tal como eu. Creio que nós dois aprendemos muito um sobre o outro, sem tirar o fato de que, no fundo, éramos mesmo muito parecidos, o que certamente foi a razão de havermos brigado tanto quando era mais jovem.

Durante aquelas longas conversas, muitas vezes falei sobre Bob. Trouxera uma foto dele comigo e mostrava-a a todos e a qualquer um que demonstrasse interesse.

— Ele parece ser um rapazinho esperto. — Minha mãe sorriu quando o viu.

— Ah, ele é — afirmei, sorrindo orgulhoso. — Não sei onde eu estaria agora se não fosse pelo Bob.

Passar aquele tempo na Austrália foi maravilhoso. Permitiu-me limpar minha mente. Também me permitiu fazer um balanço de onde eu estava — e para onde queria ir a partir dali.

Havia uma parte de mim que ansiava por voltar. Eu tinha uma família ali. Havia uma rede de apoio melhor do que a que eu tinha em Londres, certamente. Mas ficava pensando em Bob e no fato de que ele estaria tão perdido sem mim como eu estaria sem ele. Não levei a ideia a sério por muito tempo. No momento em que comecei minha sexta semana na Austrália, já estava mentalmente no avião de volta para a Inglaterra.

Dessa vez, despedi-me de minha mãe do jeito certo. Ela me acompanhou até o aeroporto e me disse adeus quando embarquei para Melbourne, para onde eu estava indo a fim de passar algum tempo com meus padrinhos. Eles haviam sido figuras muito importantes em minha juventude. Haviam possuído aquela que fora, na época, a maior empresa privada de telecomunicações na Austrália e sido os primeiros a abrir uma empresa de *pager* por rádio no país, de modo que tiveram muito dinheiro em certo ponto da vida. Quando era menino, naturalmente, adorava passar um tempo na mansão que eles haviam construído em Melbourne. Chegara a viver com eles por um tempo quando eu e minha mãe não estávamos nos dando muito bem.

A reação deles à minha história foi a mesma de minha mãe — ficaram chocados. Ofereceram-se para me ajudar financeiramente e até mesmo para me arrumar um emprego na Austrália. Mas, novamente, tive que explicar que eu tinha responsabilidades em Londres.

A viagem de volta foi muito menos movimentada do que a viagem de ida. Eu me senti muito melhor, mais em forma e mais saudável, e provavelmente aparentava estar assim; por isso, não atraí tanta atenção na alfândega ou no controle de imigração. Estava tão descansado e revivido pelo tempo que passara na Austrália que dormi durante a maior parte da viagem.

Estava morrendo de vontade de ver Bob novamente, embora uma parte de mim estivesse preocupada que ele pudesse ter mudado ou, até mesmo, esquecido de mim.

Não precisava ter me preocupado. No minuto em que entrei no apartamento de Belle, a cauda dele se ergueu e ele saltou fora do sofá e correu para mim. Eu havia lhe trazido alguns pequenos presentes, dois cangurus de pelúcia. Ele logo estava atracado com um deles.

Quando seguimos para o apartamento naquela noite, ele imediatamente correu por meu braço e subiu em meus ombros, como de costume. Em um instante, a jornada física e emocional pela qual eu havia passado do outro lado do mundo estava esquecida. Éramos eu e Bob contra o mundo mais uma vez. Foi como se eu nunca houvesse me afastado.

Capítulo 19

O Chefe da Estação

Ir para a Austrália foi algo maravilhoso, pois me deu um novo impulso, tanto física quanto emocionalmente. De volta a Londres, sentia-me mais forte e mais seguro de mim mesmo do que havia sentido em anos. Reunir-me com Bob elevou ainda mais meu espírito. Sem ele, uma pequena parte de mim estivera faltando na Tasmânia. Agora eu me sentia completo novamente.

Logo estávamos de volta à velha rotina, partilhando todos os aspectos de nossa vida cotidiana. Mesmo então, depois de quase dois anos juntos, ele continuava a ser uma fonte constante de surpresa para mim.

Eu falara sem parar sobre Bob enquanto estivera fora, dizendo a todos quão inteligente ele era. Houvera algumas vezes, disso tenho certeza, em que as pessoas me olharam como se eu fosse louco. "Um gato não pode ser tão inteligente", era o que pensavam, com certeza.

Algumas semanas depois que voltei, no entanto, percebi que eu o estivera desvalorizando.

Fazer suas necessidades sempre fora como uma obrigação para Bob. Ele nunca usara as caixas de areia que eu comprara para ele. Eu ainda tinha alguns sacos de areia no armário, juntando poeira. Eles estavam lá desde o primeiro dia.

Era um verdadeiro rebuliço ter que descer cinco lances de escadas e sair para a rua para que ele fizesse suas necessidades cada vez que precisava ir ao banheiro. Eu havia notado nos últimos meses, antes de ir para a Austrália e agora que estava de volta, que ele não estava descendo para isso tantas vezes mais.

Por um tempo, eu me perguntei se não seria algum problema médico e o levei até a Blue Cross em Islington Green para que ele fosse examinado. Os veterinários não encontraram nada de anormal e sugeriram que poderia ser apenas uma mudança ocorrendo em seu metabolismo conforme ele ficava mais velho.

A explicação era, na verdade, muito menos científica — e muito mais engraçada — do que isso. Certa manhã, logo depois que voltei da Austrália, acordei muito cedo, por volta das 6h30. Meu relógio biológico ainda estava desajustado. Arrastei-me para fora da cama e caminhei, com os olhos sonolentos, até o banheiro. A porta estava meio aberta, e ouvi um ruído parecido com um leve tilintar. *Estranho*, pensei. Eu meio que esperava encontrar alguém que houvesse entrado sorrateiramente no apartamento para usar o banheiro, mas, quando gentilmente empurrei a porta, abrindo-a, fui recebido por uma visão que me deixou totalmente sem palavras: Bob estava agachado no assento da toalete.

Foi exatamente como a cena no filme *Entrando numa Fria*, quando o gato de Robert De Niro, Sr. Jinxie, faz a mesma coisa. Exceto que, no meu caso, a situação era totalmente real. Bob obviamente havia decidido que ir ao banheiro no térreo era muito chato. Então, depois de me ver ir ao banheiro algumas vezes nos últimos três anos, ele aprendera o que precisava fazer e, simplesmente, me imitou.

Quando ele me viu encarando-o, Bob apenas me lançou um de seus olhares fulminantes, como se dissesse: "Tá olhando o quê? Eu só vim ao banheiro, o que poderia ser mais normal do que isso?".

Ele estava certo, é claro. Por que eu me surpreendia com qualquer coisa que Bob fazia? Ele era capaz de tudo, certamente já sabia disso.

Nossa ausência por algumas semanas definitivamente foi notada por muitos dos moradores do Angel. Durante nossa primeira semana de volta ao ponto, uma sucessão de pessoas veio até nós com grandes sorrisos. Elas diziam coisas como: "Ah, vocês voltaram!" ou: "Pensei que você tivesse ganhado na loteria". Foram quase todas acolhidas simpáticas e genuínas.

Uma senhora me deu um cartão onde estava escrito SENTIMOS SUA FALTA. Era ótimo estar em "casa".

Como sempre, é claro, houve também um ou dois que não ficaram muito contentes em nos ver.

Uma noite, acabei entrando em uma discussão acalorada com uma senhora chinesa. Eu já a havia notado antes, olhando para mim e Bob de forma desaprovadora. Dessa vez, ela se aproximou, balançando o dedo para mim.

— Isso não certo, isso não certo — disse ela com raiva.

— Desculpe, o que não está certo? — indaguei, meio confuso.

— Não é normal gato agir assim — ela continuou. — Ele muito calmo, você dá droga para ele. Você droga gato.

Tinha que ser justamente essa a questão para eu ter problemas com ela...

Não era a primeira vez que alguém insinuava isso. No passado, em Covent Garden, quando ainda fazia apresentações de rua, um cara muito arrogante com ar professoral parou certo dia e me disse que, em termos dúbios, ele estava "de olho em mim".

— Eu sei o que você está fazendo. E creio que sei o que está dando ao gato para ele ficar tão dócil e obediente — disse, muito satisfeito consigo mesmo.

— E o que seria, então, senhor? — questionei.

— Ah, isso lhe daria uma vantagem e você poderia mudar para outra coisa — disse ele, um pouco surpreso por ver-se desafiado por mim.

— Não, vamos lá, o senhor fez uma acusação; agora, dê fundamento a ela — retruquei, intensificando minha defesa.

Ele desapareceu no ar rapidamente, e provavelmente fez muito bem, pois acho que poderia ter sentado um soco nele se houvesse continuado com aquilo.

A mulher chinesa estava, basicamente, fazendo a mesma acusação. Então, dei-lhe a mesma defesa.

— O que a senhora acha que eu estou dando a ele que o deixa assim? — questionei.

— Eu não sei — disse ela. — Mas você dando alguma coisa para ele.

— Bom, se eu o estou drogando, por que ele fica aqui comigo todos os dias? Por que ele não tenta fugir disso quando tem uma chance? Eu não posso drogá-lo na frente de todo mundo.

— Psssh — disse ela, agitando os braços para mim com desdém e girando em seus calcanhares. — Isso não certo, não certo — disse ela mais uma vez enquanto se misturava à multidão.

Essa era uma realidade que eu aceitara havia muito tempo. Sabia que sempre haveria alguém suspeitando que eu estivesse maltratando Bob, que não gostasse de gatos ou que simplesmente não gostasse do fato de um vendedor da *Big Issue* ter um gato, em vez de um cachorro, o que era muito mais comum. Duas semanas após a discussão com a senhora chinesa, tive outro confronto, um muito diferente dessa vez.

Desde aqueles primeiros dias em Covent Garden, regularmente alguém oferecia dinheiro por Bob. Sempre que alguém vinha até mim e me perguntava: "Quanto você quer pelo gato?", eu costumava mandar a pessoa ir se ferrar.

Ali no Angel eu ouvi isso novamente de uma senhora em particular. Ela me procurou várias vezes, sempre conversando bastante antes de chegar ao ponto de sua visita.

— Veja bem, James — ela dizia. — Eu acho que o Bob não deve ficar nas ruas. Acho que ele deve ficar em uma casa agradável e acolhedora, tendo uma vida melhor.

Todas as vezes ela terminava a conversa com uma pergunta do tipo: "Então, quanto você quer por ele?".

Eu recusava sua proposta todas as vezes, até um ponto em que ela começou a lançar números para cima de mim. Começou com cem libras e foi aumentando até 500.

Por último, ela se aproximou certa noite e disse:

— Eu te dou mil libras por ele.

Eu apenas olhei para ela e respondi:

— A senhora tem filhos?

— Erm, sim, com certeza eu tenho — balbuciou, um pouco confusa.

— A senhora tem. Ótimo. Quanto quer pelo seu filho mais novo?

— Do que você está falando?

— Quanto quer pelo seu filho mais novo?

— Não creio que uma coisa tenha a ver com...

Eu a cortei:

— Na verdade, creio que tenha tudo a ver com isso. Até onde eu entendo, Bob é meu filho. Ele é o meu bebê. E a senhora me perguntar se eu aceito vendê-lo é exatamente o mesmo que eu lhe perguntar quanto a senhora quer pelo seu filho mais novo.

Ela partiu tempestivamente. Nunca mais a vi.

A atitude do pessoal da estação de metrô era completamente o oposto disso. Um dia eu estava conversando com uma das bilheteiras, Vanika. Ela amava Bob e estava rindo do modo como inúmeras pessoas paravam, conversavam com ele e tiravam fotos dele.

— Ele está colocando a estação de metrô Angel no mapa, né? — Ela riu.

— Está mesmo, e você deveria colocá-lo na equipe, como aquele gato no Japão que é chefe de estação. Ele até usa um chapéu — comentei.

— Não sei se nós temos vagas — respondeu, rindo.

— Bom, você devia, pelo menos, dar um cartão de identificação ou algo assim para ele — brinquei.

Ela me lançou um olhar pensativo e foi embora.

Não pensei mais sobre aquilo. Mas, duas semanas mais tarde, Bob e eu estávamos sentados do lado de fora da estação durante a noite quando Vanika apareceu novamente. Ela tinha um grande sorriso no rosto. Imediatamente, fiquei desconfiado.

— O que foi? — perguntei.

— Nada, eu só queria dar isso ao Bob. — Ela sorriu. Então, tirou um cartão de viagem laminado com a fotografia de Bob.

— Isso é fantástico! — exclamei.

— Peguei a imagem dele na Internet — disse ela, para meu espanto. Que diabos a foto de Bob estava fazendo na Internet?

— Então, o que isso significa? — indaguei.

— Significa que ele pode viajar de graça no metrô como passageiro — ela riu.

— Eu pensei que os gatos tinham passe livre de qualquer maneira! — Sorri.

— Bom, na verdade, significa que todos nós gostamos muito dele. Pensamos nele como parte da família.

Foi preciso muita força de vontade para evitar que eu irrompesse em lágrimas.

Capítulo 20

A Noite Mais Longa

A primavera de 2009 já estava se aproximando, mas as noites continuavam escuras e sombrias. Quando eu terminava a venda da *Big Issue* no Angel, geralmente por volta das 19 horas, a noite já estava caindo e as luzes da rua estavam cheias de vida, tais como as calçadas.

Depois de ficar em silêncio durante os primeiros meses do ano, quando havia menos turistas ao redor, o Angel, de repente, ganhou vida. A hora do rush no início da noite ficou lotada, como já havia observado, pelo que pareciam ser centenas de milhares de pessoas derramando-se para dentro e para fora da estação de metrô.

Talvez fosse a multidão de pessoas bem-sucedidas. A mudança também atraiu outras pessoas para a região — infelizmente.

Viver nas ruas de Londres confere à pessoa um radar realmente bem desenvolvido quando se trata de sacar pessoas a quem você quer evitar a todo custo. Foi por volta de 18h30 ou 19h, na parte do dia mais movimentada para mim, que um cara que havia sido captado por meu radar algumas vezes apareceu à vista.

Eu já o havia visto uma ou duas vezes antes, felizmente a distância. Era um personagem de aparência realmente grosseira. Sei que eu não era exatamente o cara mais bem arrumado nas ruas de Londres, mas esse cara era realmente estropiado. Pelo aspecto, ele vinha dormindo ao relento. Sua pele estava toda vermelha e manchada e suas roupas estavam sujas de terra. O que realmente se destacava, no entanto, era seu cão, um rottweiler gigante. O cão era preto com manchas marrons e, desde o momento em que eu o vi pela primeira vez, tive certeza imediata de que ele era agressivo. A visão dos dois andando juntos fez com que eu me lembrasse de uma antiga ilustração de Bill Sykes e seu cachorro, Alvo, em *Oliver Twist*. Era possível afirmar que eles nunca estavam muito longe da encrenca.

O cão estava com ele essa noite quando se aproximou da entrada da estação de metrô e se sentou para conversar com outros sujeitos de aspecto negligente, que estavam sentados por ali bebendo cerveja por uma hora ou mais. Não gostei de aparência deles de forma alguma.

Quase imediatamente, notei que o rottweiler havia localizado Bob e estava forçando a guia, morrendo de vontade de vir brigar com ele. O cara parecia ter o grande cão sob controle, mas não havia nenhuma certeza de que as coisas continuariam assim. Ele parecia mais interessado em falar com os outros caras — e ficar grudado na cerveja deles.

Enquanto isso acontecia, em todo caso, eu já estava no processo de guardar as coisas para encerrar a noite. A chegada da gangue só cimentou essa decisão em minha mente. Tive um sentimento ruim sobre eles — e sobre o cão. Eu queria pegar Bob e ficar o mais longe possível deles.

Comecei a recolher minhas *Big Issues* e a colocar minhas outras coisas na mochila. De repente, ouvi aquele latido penetrante e muito alto. O que aconteceu depois pareceu ocorrer em câmera lenta, uma cena de ação ruim em um filme de ação ruim.

Voltei-me para ver um flash de preto e marrom dirigindo-se para mim e Bob. O cara não havia, obviamente, amarrado a guia corretamente. O rottweiler estava solto. Minha primeira reação instintiva foi proteger Bob, por isso pulei na frente do cão. Antes que eu percebesse, ele havia corrido para cima de mim, derrubando-me no chão. Conforme caí, consegui envolver meus braços em torno do cão e acabamos no chão, lutando. Eu estava gritando e xingando, tentando agarrar sua cabeça com força para que ele não pudesse me morder, mas o cão era simplesmente forte demais.

Rottweilers são cães poderosos, e não tenho dúvida de que, se a luta tivesse durado mais alguns segundos, eu não o teria vencido. Só Deus sabe o tipo de ferimentos que ele teria me infligido. Felizmente, de repente, tornei-me ciente de outra voz gritando e senti a força do cão diminuindo à medida que ele foi puxado para outra direção.

— Vem cá, seu f **** — o proprietário estava gritando, puxando a guia o mais forte que podia. Ele, então, bateu na cabeça do cão com algo contundente. Eu não sei o que foi, mas o som foi doentio. Em circunstâncias diferentes, eu teria me preocupado com o bem-estar do cachorro, mas minha prioridade era Bob. Ele devia ter ficado apavorado com o que havia acontecido. Virei-me para vê-lo, mas encontrei o local onde ele estava sentado vazio. Eu me virei 360 graus para ver se, quem sabe, alguém o tinha pegado para protegê-lo, mas não havia sinal dele. Ele havia desaparecido.

De repente, percebi o que eu havia feito. Eu tinha uma pilha de *Big Issues* a uma curta distância de nosso ponto, debaixo de um banco. A guia de Bob não se estendia tanto, assim, em minha ansiedade para sair de perto do rottweiler e de seu dono, eu havia soltado a guia de meu cinto. Fora apenas por um ou dois segundos, enquanto eu juntava tudo, mas fora suficiente. Aquele fora meu grande erro. O rottweiler devia estar observando tudo, e Bob, e devia ter visto isso. Por isso é que ele rompera seu jugo e disparara em nossa direção naquele momento preciso.

Imediatamente, fiquei tomado pelo pânico. Algumas pessoas haviam se aglomerado a meu redor e me perguntaram se eu estava bem.

— Eu estou bem. Alguém viu o Bob? — perguntei, embora não estivesse realmente bem. Eu me machucara ao ser derrubado pelo rottweiler e tinha cortes nas mãos onde ele havia me mordido. Naquele momento, uma de minhas clientes regulares apareceu, uma senhora de meia-idade, que muitas vezes dava guloseimas para Bob. Ela havia visto a comoção claramente e se aproximou.

— Eu vi o Bob correndo na direção de Camden Passage — disse ela. — Tentei pegar a guia dele, mas ele foi muito rápido.

Obrigado — respondi, enquanto simplesmente pegava minha mochila e corria com o coração disparado.

Minha mente imediatamente trouxe de volta a vez em que ele havia fugido em Piccadilly Circus. Por alguma razão, porém, esta parecia ser uma situação mais grave. Naquela época, ele basicamente ficara assustado com um homem em uma roupa engraçada. Dessa vez, ele estivera em perigo físico real. Se eu não tivesse intervindo, era quase certo que o rottweiler o teria atacado. Quem poderia saber qual o impacto que a visão do cão avançando exercera sobre ele? Talvez fosse um lembrete de algo que ele havia vivido no passado? Eu não tinha ideia do que ele deveria estar sentindo, embora imaginasse que estivesse tão assustado e angustiado como eu.

Corri em direção a Camden Passage, esquivando-me das multidões do início da noite perambulando perto dos pubs, bares e restaurantes.

— Bob! Bob! — continuei chamando, atraindo os olhares dos transeuntes. — Alguém viu um gato laranja correndo por aqui com a guia arrastando atrás dele? — perguntei a um grupo de pessoas do lado de fora do bar principal da passagem.

Elas apenas deram de ombros.

Eu esperava que, assim como ele havia feito daquela vez em Piccadilly Circus, Bob fosse procurar refúgio em uma loja. Mas, àquela hora, a maioria delas estavam fechadas. Apenas os bares, restaurantes e cafés ainda estavam abertos. Enquanto desci pela viela e perguntava às pessoas ao redor, eu não recebia mais que meneios negativos de cabeça. Se ele houvesse ido além de Camden Passage rumo ao norte, terminaria na Estrada Essex, a via principal que levava a Dalston e além. Ele já havia caminhado parte desse percurso antes, mas nunca à noite ou sozinho.

Eu estava começando a me desesperar quando encontrei uma mulher ao final da passagem, poucos metros antes que ela se abrisse do lado oposto a Islington Green. A mulher apontou para a estrada.

— Eu vi um gato correndo pela rua naquela direção — disse ela. — Ele corria como um foguete e não parecia que ia parar tão cedo. Ele estava indo em direção à estrada principal e parecia disposto a cruzá-la.

Ao final da passagem, saí para a rua aberta e esquadrinhei a área. Bob gostava de Islington Green e, muitas vezes, parava para fazer suas necessidades lá. Era também o lugar em que o furgão da Blue Cross podia estacionar. Valia a pena dar uma olhada. Rapidamente, atravessei a rua e corri para a pequena área fechada de grama. Havia alguns arbustos ali onde ele costumava remexer. Ajoelhei-me e olhei o interior desse espaço. Embora a claridade do entardecer já houvesse acabado e eu mal conseguisse ver minha mão diante do rosto, esperava poder ver, contra todas as esperanças, dois olhinhos brilhantes olhando para mim.

— Bob, Bob, você está aí, companheiro?

Mas não havia nada. Desci para a outra ponta do jardim fechado e gritei mais algumas vezes. Mas, afora alguns gemidos de um casal de bêbados que estava sentado em um dos bancos, tudo que pude ouvir foi o zumbido insistente do tráfego.

Deixei o Green e me vi diante da grande livraria Waterstone's. Bob e eu aparecíamos muitas vezes por lá e os funcionários sempre faziam uma festinha para ele. Eu sabia que realmente estava me agarrando a fiapos agora, mas talvez ele houvesse ido para lá em busca de refúgio.

Estava tudo tranquilo no interior da loja e alguns dos funcionários se preparavam para fechá-la. Havia apenas algumas pessoas olhando as estantes. Reconheci uma das senhoras atrás do caixa. Àquela altura já estava suando, respirando pesadamente, e devia, com certeza, parecer bastante agitado.

— Você está bem? — perguntou ela.

— Perdi o Bob. Um cão nos atacou e o Bob fugiu. Ele não veio aqui, veio?

— Oh, não — disse ela, parecendo genuinamente preocupada. — Eu estava aqui e não o vi. Mas vou perguntar lá em cima. — Ela pegou o telefone e ligou para outro departamento. — Vocês não viram um gato aí em cima, viram? — indagou. O lento balançar de cabeça que seguiu a pergunta me disse tudo o que eu precisava saber. — Eu realmente sinto muito — disse ela. — Mas, caso o vejamos, vamos tratar de mantê-lo seguro.

— Obrigado — disse, despedindo-me.

Foi só então, enquanto eu saía da Waterstone's, e agora sob o escuro da noite, que a verdade me atingiu. Eu o havia perdido.

Eu estava em pedaços. Nos minutos que se seguiram, caminhei em transe. Continuei descendo a Estrada Essex, mas, naquele momento, já havia desistido de perguntar nos cafés, restaurantes e pubs.

Aquele era o caminho pelo qual vínhamos todos os dias — e voltávamos para casa todas as noites. Quando vi um ônibus para Tottenham, outro pensamento se formou em minha mente exausta. Será? Ele seria capaz... seria?

Havia um inspetor parado em uma das paradas de ônibus e perguntei-lhe se havia visto um gato tomando um ônibus. Eu conhecia Bob. Ele era esperto o suficiente para fazer isso. Mas o cara só olhou para mim como se eu tivesse perguntado se ele havia visto os alienígenas tomando o ônibus 73. Ele apenas balançou a cabeça e se afastou de mim.

Sabia que os gatos tinham um grande senso de direção e eram conhecidos por fazer longas viagens. Mas não havia como ele refazer todo o caminho de volta até Tottenham. Eram mais de cinco quilômetros e meio de distância, passando por alguns trechos muito ruins de Londres. Nós nunca fizéramos esse caminho andando, apenas o percorríamos de ônibus. Rapidamente decidi que esse, simplesmente, não era um bom ponto de partida.

A próxima meia hora foi uma montanha-russa de emoções conflitantes. Em um minuto eu me convencia de que ele não podia desviar muito sem ser encontrado e identificado. Uma grande quantidade de pessoas no local sabia quem ele era. E mesmo que ele fosse encontrado por alguém que não o conhecesse, se fosse uma pessoa sensata, veria que ele tinha um microchip e saberia que todos os seus dados estavam no centro nacional de microchips.

Mal eu havia me tranquilizado sobre isso, um fluxo de consciência muito diferente começou a me invadir, conforme, absolutamente do nada, uma série terrível de pensamentos começou a martelar em minha cabeça.

Podia ter sido isso o que acontecera três anos antes. Podia ter sido essa a maneira como ele acabara vindo parar em meu prédio naquela noite de primavera. Podia ser esse o gatilho para ele decidir que era hora de mudar de novo. Por dentro, estava totalmente despedaçado. Meu lado lógico e sensato dizia: "Ele vai ficar bem, você vai recuperá--lo". Mas meu lado mais selvagem e irracional dizia algo muito mais sombrio. Dizia: "Ele se foi, você nunca mais vai vê-lo".

Andei para cima e para baixo pela Estrada Essex por quase uma hora. Ela agora estava escura como breu, e o tráfego rugia praticamente todo o caminho em direção ao final da Rua Islington High. Estava totalmente confuso. Realmente não sabia o que fazer. Sem pensar de fato, comecei simplesmente a descer pela Estrada Essex em direção a Dalston. Minha amiga Belle morava em um apartamento a uma milha de distância. Eu fui para lá.

Eu estava passando por um beco quando vi um flash de uma cauda. Ela era negra e magra, muito diferente da cauda de Bob, mas estava em tal estado que minha mente me pregava peças e eu me convenci de que devia ser ele.

— Bob! — gritei, mergulhando no espaço escuro, mas não havia nada lá.

Em algum lugar no escuro, ouvi o som de um miado. Não soava como ele. Depois de alguns minutos, segui em frente.

Àquela altura, o tráfego havia diminuído. A noite caiu de repente, sinistramente quieta. Pela primeira vez, percebi que não havia estrelas. Não era como o céu noturno da Austrália, mas ainda era impressionante. Algumas semanas antes, estivera olhando para as estrelas na Tasmânia. Eu dissera a todos na Austrália que voltaria para cuidar de Bob. *Que belo trabalho eu fiz*, disse, amaldiçoando-me por dentro.

Por um momento ou dois, eu me perguntei se minha estada prolongada na Austrália fora um fator em tudo aquilo. O tempo que passáramos separados afrouxara os laços entre mim e Bob? O fato de eu ter me ausentado por seis semanas o fizera questionar meu compromisso com ele? Quando o rottweiler atacara, ele decidira que não poderia mais confiar em mim para protegê-lo? Esses pensamentos me fizeram querer gritar.

Quando a estrada para o apartamento de Belle apareceu à vista, ainda estava me sentindo à beira das lágrimas. O que faria sem ele? Nunca encontraria um companheiro como Bob novamente.

Foi então que aconteceu. Pela primeira vez em anos, experimentei uma grande necessidade de me drogar.

Tentei me livrar desse pensamento imediatamente, mas, mais uma vez, meu subconsciente começou a travar uma batalha de vontades. Em algum lugar dentro de minha cabeça, podia sentir-me pensando que, se realmente houvesse perdido Bob, não seria capaz de lidar com isso, teria que me anestesiar da dor que já estava sentindo.

Belle vinha, como eu, lutando havia anos contra o vício. Mas eu sabia que sua colega de apartamento ainda usava. Quanto mais perto eu chegava de sua rua, mais aterrorizantes meus pensamentos foram se tornando.

No momento em que cheguei ao apartamento de Belle, já estava se aproximando das 22 horas. Fiquei vagando pelas ruas por algumas horas. A distância, as sirenes estavam se lamentando mais uma vez, com os policiais a caminho de outro esfaqueamento ou de outra pancadaria em um pub. Eu não poderia ter me importado menos com eles.

Quando subi o caminho até a entrada da frente mal iluminada, vi uma forma sentada em silêncio nas sombras na lateral do prédio. Era a silhueta de um gato, sem a menor dúvida, mas a essa hora já havia desistido de ter esperança e simplesmente presumi que fosse outro gato de rua, protegendo-se do frio. Mas então vi sua carinha, aquela carinha inconfundível.

— Bob!

Ele soltou um miado lamentoso, tal como aquele no corredor três anos atrás, como se dissesse: "Onde você esteve? Estou aqui esperando há séculos".

Peguei-o e o segurei bem apertado.

— Você vai acabar me matando se continuar fugindo assim — disse a ele, enquanto minha mente lutava para descobrir *como* ele havia chegado até ali.

Não demorou muito para que tudo se encaixasse. Eu me senti um idiota por não ter pensado nisso antes. Ele havia ido várias vezes comigo até o apartamento de Belle e passara seis semanas ali quando eu estivera fora. Fazia sentido que tivesse vindo parar ali. Mas como ele conseguira chegar até ali? Devia ser uma distância de quase dois quilômetros e meio de nosso ponto no Angel até lá. Será que ele havia percorrido todo aquele caminho? Se sim, por quanto tempo havia ficado ali?

Nada disso importava agora. Enquanto eu continuava fazendo uma algazarra com ele, ele lambia minha mão, com sua língua áspera como uma lixa. Ele esfregou a face contra a minha e enrolou a cauda.

Toquei a campainha de Belle e ela me convidou a entrar. Meu estado de espírito havia ido do desespero ao delírio. Eu estava no topo do mundo.

A companheira de apartamento de Belle também estava lá e disse:

— Quer algo para comemorar? — Ela sorriu conscientemente.

— Não, estou bem, obrigado — respondi, cutucando Bob quando ele arranhou minha mão por brincadeira e olhando para Belle. — Só uma cerveja cairia bem.

Bob não precisou de medicamentos para passar a noite. Ele só precisava de seu companheiro: eu. E, naquele momento, decidi que era tudo de que eu precisava também. Tudo de que eu precisava era Bob. Não apenas naquele dia, mas durante todo o tempo pelo qual eu tivesse o privilégio de tê-lo em minha vida.

Capítulo 21

Bob, o Gato da *Big Issue*

Enquanto o sol de março desaparecia e o anoitecer descia sobre o Angel, Londres estava se preparando para a noite mais uma vez. O tráfego já estava pesado na Rua Islington High e as buzinas se avolumavam numa cacofonia sem fim. As calçadas estavam apinhadas, com um fluxo incessante de pessoas entrando no saguão da estação e saindo dele. A hora do rush estava em curso e à altura de seu nome, como de costume. Parecia que todo mundo estava com pressa para chegar a algum lugar. Bem, não exatamente todos.

Eu estava verificando se tinha exemplares suficientes para enfrentar a onda de atividade que eu sabia que estava prestes a chegar quando vi, pelo canto do olho, um grupo de crianças se aglomerar ao nosso redor. Eram adolescentes, pensei, três meninos e duas meninas. Pareciam ser sul-americanos ou, talvez, espanhóis ou portugueses.

Não havia nada de anormal nisso. Não era como Covent Garden, Leicester Square ou Piccadilly Circus, mas Islington tinha seu quinhão de turistas, e Bob era um ímã para eles. Mal passava um dia sem que ele fosse cercado por um grupo de jovens entusiasmados como aquele.

O que havia de diferente naquela noite, no entanto, era a forma como eles estavam apontando animadamente e falando sobre ele.

— Ah, *si*, Bob — disse uma adolescente, falando o que eu imaginei ser espanhol.

— *Si, si*. Bob, o Gato da Biig Íchu — disse outra.

Estranho, pensei comigo quando entendi o que ela havia dito. Como sabiam que o nome dele era Bob? Ele não usava uma plaquinha com o nome. E o que queriam dizer com o Gato da *Big Issue?*

Minha curiosidade logo levou a melhor sobre mim.

— Desculpem, espero que vocês não se importem por eu perguntar, mas como vocês conhecem o Bob? — perguntei, na esperança de que um deles falasse um inglês decente. Meu espanhol era quase inexistente.

Felizmente, um deles, um rapaz, respondeu-me.

— Ah, nós o vimos no YouTube. — Ele sorriu. — O Bob é muito popular, sim?

— Ele é? — indaguei. — Alguém me disse que ele estava no YouTube, mas não tenho ideia de quantas pessoas viram isso.

— Muitas pessoas, eu acho. — Ele sorriu.

— De onde vocês são?

— *España*, Espanha.

— Então, quer dizer que o Bob é popular na Espanha?

— *Si, si* — outro rapaz disse quando o primeiro traduziu nossa conversa para ele. — *Bob es una estrella en España*.

— Desculpe, o que foi que ele disse? — perguntei para o rapaz.

— Ele disse que o Bob é uma estrela na Espanha.

Fiquei chocado.

Sabia que muitas pessoas haviam tirado fotografias de Bob ao longo dos anos, tanto quando eu fazia apresentações de rua como agora que eu estava vendendo a *Big Issue*. Certa vez, me perguntei brincando se ele poderia ser incluído no *Livro dos Recordes* como o gato mais fotografado do mundo.

As pessoas o haviam filmado também, algumas com seus celulares, outras com câmeras de vídeo apropriadas. Comecei a buscar em minha mente em retrospecto aqueles que o haviam filmado nos últimos meses. Quem poderia ter feito um filme que agora estava no YouTube? Havia alguns candidatos óbvios, mas tomei nota para verificar isso na primeira oportunidade.

Na manhã seguinte, fui até a biblioteca local com Bob e fiquei on-line. Digitei os termos de pesquisa: Bob Gato *Big Issue*. Realmente havia um link para o YouTube, no qual cliquei. Para minha surpresa, não havia um, mas dois filmes lá.

— Ei, Bob, olha, ele estava certo. Você é uma estrela no YouTube.

Ele não se mostrara muito interessado até esse ponto. Não era uma corrida no Canal 4, afinal de contas. Mas, quando cliquei no primeiro vídeo e me vi e me ouvi falando, ele pulou sobre o teclado e colocou a face diretamente contra a tela.

Enquanto eu assistia ao primeiro filme, que se chamava *Bobcat and Me*, ou *O Gato Bob e Eu*, a memória voltou. Eu havia sido abordado por um estudante de cinema. Ele havia me acompanhado certo tempo atrás, quando estava vendendo a *Big Issue* na região da Rua Neal. Havia belas cenas de nós dois ali, tomando o ônibus e andando pelas ruas. Assistir ao filme fornecia um resumo muito bom da vida cotidiana de um vendedor da *Big Issue*. Havia clipes de pessoas brincando com Bob, mas também uma sequência em que eu era confrontado por uns caras que não acreditavam que ele era um gato "dócil". Pertenciam ao mesmo grupo de pessoas que achavam que eu o estava drogando.

O outro vídeo havia sido feito mais recentemente, na região do Angel, por um cara russo. Cliquei no link e vi que ele havia chamado seu filme de *Bob, o gato da* Big Issue. Esse deveria ser o vídeo a que os estudantes espanhóis assistiram. Vi que ele havia tido dezenas de milhares de acessos. Fiquei chocado.

O sentimento de que Bob estava se tornando uma espécie de celebridade vinha crescendo, havia algum tempo. De vez em quando, alguém dizia: "Ah, esse é o Bob? Já ouvi falar dele". Ou: "Esse é o famoso gato Bob?". Eu sempre presumira que fosse por boca a boca. Então, poucas semanas antes de me encontrar com os adolescentes espanhóis, fomos apresentados em um jornal local, o *Islington Tribune*. Até eu mesmo fui abordado por uma senhora americana, uma agente, que me perguntou se já havia pensado em escrever um livro sobre Bob e eu. Como se fosse possível!

Os adolescentes espanhóis me fizeram perceber que ele havia começado a se transformar em algo muito maior que uma celebridade local. Bob estava se tornando uma estrela felina.

Enquanto ia em direção ao ponto de ônibus e absorvia o que havia acabado de descobrir, não pude deixar de sorrir. Em um dos filmes, eu dissera que Bob havia salvado minha vida. Quando me ouvi pela primeira vez, achei que soava um pouco estúpido e também um tanto exagerado. Porém, enquanto caminhava pela estrada e colocava as coisas em perspectiva, tudo aquilo começou a ganhar profundidade: era verdade, ele realmente havia salvado.

Nos dois anos desde que eu o havia encontrado sentado naquele corredor mal iluminado, ele havia transformado meu mundo. Naquela época, era um viciado em heroína em recuperação vivendo uma existência miserável. Estava caminhando para os 30 anos de idade e ainda não tinha um sentido real ou um propósito na vida além da mera sobrevivência. Havia perdido o contato com minha família e mal tinha amigos no mundo. Para falar claramente, minha vida estava uma bagunça total. Tudo isso tinha mudado.

Minha viagem para a Austrália não disfarçara as dificuldades do passado, mas conseguira me unir com minha mãe novamente. As feridas foram curadas. Eu tinha a sensação de que estávamos caminhando para nos tornar próximos novamente. Minha batalha com as drogas estava finalmente chegando ao fim, ou, pelo menos, eu esperava que estivesse. A quantidade de Subutex que eu precisava tomar estava diminuindo progressivamente. O dia em que não teria que tomar mais nada já era visível no horizonte. Finalmente conseguia ver um fim para meu vício. Houvera momentos em que imaginara que isso nunca seria possível.

Acima de tudo, finalmente criei algumas raízes. Pode não parecer muita coisa para a maioria das pessoas, mas meu pequeno apartamento em Tottenham me trouxera o tipo de segurança e estabilidade que eu sempre desejara secretamente. Nunca havia vivido por muito tempo no mesmo lugar: estava ali havia mais de quatro anos e ali permaneceria por muito mais tempo. Não tinha nenhuma dúvida de que isso não teria acontecido se não fosse por Bob.

Fui criado como um paroquiano, mas não era um cristão praticante. Também não era agnóstico ou ateu. Minha opinião é que todos nós devemos ter um pouco de cada religião e de cada filosofia. Não sou budista, mas gosto de filosofias budistas em particular. Elas dão uma estrutura muito boa ao redor da qual você pode construir sua vida. Por exemplo, definitivamente acredito em carma, a ideia de que o que vai volta. Eu me perguntava se Bob era minha recompensa por ter feito algo de bom em algum momento de minha vida conturbada.

Eu também me perguntava, às vezes, se Bob e eu havíamos nos conhecido em uma vida anterior. A maneira como nos ligamos um ao outro, a conexão instantânea que fizemos, isso era muito incomum. Alguém me disse certa vez que éramos a reencarnação de Dick Whittington[10] e seu gato. Exceto que os papéis estavam invertidos dessa vez: Dick Whittington tinha voltado como Bob — e eu era seu companheiro. Eu não tenho nenhum problema com isso. Fiquei feliz em pensar nele dessa forma. Bob é meu melhor amigo e foi quem me

[10] "Dick Whittington e seu Gato" é uma história folclórica inglesa registrada pela primeira vez em 1605, na qual o protagonista, Dick, fica rico, casa-se bem e é eleito prefeito de Londres graças às habilidades de seu gato, grande caçador de ratos. (N. P.)

guiou em direção a um modo de vida diferente — e melhor. Ele não exige nada de complicado ou irreal em troca. Só precisa que eu cuide dele. E é isso que eu faço.

Sabia que a estrada adiante não seria suave. Tínhamos certeza de que enfrentaríamos nossos problemas aqui e ali — ainda estava trabalhando nas ruas de Londres, afinal de contas. Isso nunca seria fácil. Mas, enquanto estivéssemos juntos, tinha a sensação de que tudo ficaria bem.

Todo mundo precisa de um tempo, todo mundo merece uma segunda chance. Bob e eu agarramos a nossa...

Agradecimentos

Escrever este livro foi uma experiência de colaboração fantástica, da qual muitas pessoas fizeram parte.

Em primeiro lugar, gostaria de agradecer a minha família, principalmente a minha mãe e meu pai, por me darem a determinação ferrenha que tem me ajudado a passar por alguns momentos sombrios em minha vida. Também gostaria de agradecer a meus padrinhos, Terry e Merilyn Winters, por serem amigos tão importantes para mim.

Nas ruas de Londres, muitas pessoas demonstraram bondade para comigo ao longo dos anos, mas gostaria de destacar Sam, Tom, Lee e Rita, os coordenadores da *Big Issue,* que foram tão generosos comigo. Também quero agradecer aos trabalhadores de divulgação Kevin e Chris por sua compaixão e compreensão. Agradeço igualmente à Blue Cross e à RSPCA, por seus valiosos conselhos, e a Davika, Leanne e ao restante da equipe da estação de metrô do Angel, que foram tão solidários comigo e com Bob.

Também gostaria de agradecer à Food for Thought and Pix, na Rua Neal, que sempre ofereceu a mim e a Bob uma xícara de chá e um pires de leite, bem como a Daryl, no Diamond Jacks, no Soho, e a Paul e Den, os sapateiros que sempre foram meus bons amigos. Quero também mencionar Pete Watkins, da Corrupt Drive Records, o DJ Cavey Nik, da Mosaic Homes, e Ron Richardson.

Este livro nunca teria acontecido se não fosse por minha agente, Mary Pachnos. Foi ela quem primeiro se aproximou de mim com essa ideia. Parecia muito louca na época, e eu nunca teria sido capaz de colocar nada no papel e transformar tudo em uma história coerente sem a ajuda dela e do escritor Garry Jenkins. Então, do fundo do coração, obrigado aos dois, Mary e Garry. Na editora Hodder & Stoughton, gostaria de agradecer a Rowena Webb, Ciara Foley, Emma Knight e o restante dessa brilhante equipe. Obrigado também a Alan e à equipe da Waterstone's, em Islington, que até mesmo permitiu que Garry e eu trabalhássemos no livro no tranquilo andar superior. E um grande obrigado a Kitty, pois, sem seu apoio constante, nós dois estaríamos perdidos.

Finalmente, quero agradecer a Scott Hartford-Davis e ao Dalai Lama, que, nos últimos anos, me ofereceu uma grande filosofia com a qual conduzir minha vida, e a Leigh Ann, que está em meus pensamentos.

Por último, mas definitivamente não menos importante, é claro, tenho que agradecer ao pequeno companheiro que entrou em minha vida em 2007 e, desde o momento em que fiz amizade com ele, revelou-se como uma força de mudança positiva em minha vida. Todo mundo merece um amigo como Bob. E eu tive uma sorte imensa por ter encontrado um...

James Bowen
Londres, janeiro de 2012.

Página de Informações sobre Bob

Leia as últimas notícias e histórias de James e Bob em
www.facebook.com/StreetCatBob e no
Twitter do próprio Bob: @streetcatbob